W9-BYK-216

DU MÊME AUTEUR

Au Mercure de France

MAMAN EST MORTE, *récit,* 1990, Mercure de France, nouvelle édition en 1994.

LES DERNIERS SERONT LES PREMIERS, *nouvelles,* 1991.

MADAME X, *roman,* 1992.

LES JARDINS PUBLICS, *roman,* 1994 (« Folio » n° 4868).

LES MAÎTRES DU MONDE, *roman,* 1996 (« Folio » n° 3092).

MACHINES À SOUS, *roman,* 1998. Prix Valery Larbaud 1999 (« Folio » n° 3406).

SOLEIL NOIR, *roman,* 2000 (« Folio » n° 3763).

L'AMANT RUSSE, *roman,* 2002.

GRANDIR, *roman,* 2004, prix Millepages (« Folio » n° 4251).

CHAMPSECRET, *roman,* 2005.

ALABAMA SONG, *roman,* 2007, prix Goncourt (« Folio » n° 4867).

ZOLA JACKSON, *roman,* 2010, prix Été du livre / Marguerite Puhl-Demange (« Folio » n° 5260).

DORMIR AVEC CEUX QU'ON AIME, *roman,* 2012 (« Folio » n° 5550).

NINA SIMONE, ROMAN, *roman,* 2013, prix de la ville de Deauville (« Folio » n° 5871).

Chez d'autres éditeurs

HABIBI, *roman,* Michel de Maule, 1987.

TRISTAN CORBIÈRE, *hommage,* Éditions du Rocher, coll. « Une bibliothèque d'écrivains », 1999.

À PROPOS DE L'AMANT RUSSE, notes sur l'autobiographie, *Nouvelle Revue française,* Gallimard, janvier 2002.

LE JOUR DES FLEURS, *théâtre,* in *Mère et fils,* Actes Sud – Papiers, 2004.

LES COULEURS INTERDITES, *roman-préface,* in *Eddy Wiggins, Le noir et le blanc,* Naïve éditions, 2008.

ANGE SOLEIL, *théâtre,* Gallimard, 2011, « Le Manteau d'Arlequin ».

LE MONDE SELON BILLY BOY

Gilles Leroy

LE MONDE SELON BILLY BOY

ROMAN

MERCVRE DE FRANCE

« Qu'on n'accuse personne de ma vie. »

MARGUERITE YOURCENAR
Feux.

« Faire face. »

Devise de l'École de l'air.

« Oh, where have you been,
Billy Boy, Billy Boy ?
Oh, where have you been,
Charming Billy ?
I have been to seek a wife,
She's the joy of my life,
She's a young thing
And cannot leave her mother. »

Comptine folk.

Il ne voulait pas de moi.
Elle, effrayée, incertaine, hésitait.
Il faut croire que son hésitation l'a emporté.
De toute façon, c'est dans son corps à elle que ça se passerait.

UNE CHAMBRE SOUS LES TOITS

Des pourparlers

Elles se font face autour de la petite table pliante dont les deux pans ont été relevés pour plus de confort.

La visiteuse a gardé son manteau d'astrakan malgré la chaleur qui règne dans cette chambre sous les toits, où le soleil a cogné toute la journée. Elle a juste ôté ses gants, libérant du satin noir deux mains épaisses chargées de bagues, et posé devant elle son sac à main d'où dépasse, ostensible, un long chéquier dans son étui en cuir bleu. La sueur goutte de son front, noie ses tempes et ses sourcils dessinés au crayon.

« Vous n'avez pas l'air bien. Je vais ouvrir un peu. »

La jeune fille se lève, elle n'a qu'à tendre un bras pour ouvrir la lucarne mais la visiteuse retient son bras.

« Surtout pas, malheureuse, je crains les courants d'air. Et puis, le bruit du boulevard nous gênerait pour nous entendre. »

Mais elles se taisent, longtemps. On entend leurs chaises grincer.

« Tu regardes mon astrakan ? Il est beau, hein ? Tu es trop jeune et trop brune pour l'astrakan. Avec ta peau mate, tes cheveux noirs, ça te durcirait. Mais le mouton doré t'irait bien, j'en suis sûre. »

Elle a tout proposé, thé, café, citronnade, eau de Vichy – même un porto en ce début de soirée –, la visiteuse en nage assure qu'elle n'a pas soif. « Je suis un vrai chameau », clame-t-elle fièrement, et c'est une drôle de façon de se dépeindre pour une femme qu'on sait peu commode. Silence. Les gros doigts alourdis de bagues martèlent la table, dix ongles rouge sang qui griffent le bois ciré.

« Elle est phénoménale, ta robe, du dernier cri. C'est fou, ça... On jurerait que tu t'habilles haute couture.

— C'est ma mère. C'est elle qui me fait ma garde-robe. Elle est couturière.

— Je me disais aussi : comment fait-elle pour s'offrir tout ça ?

— Si je vois un modèle qui me plaît dans un magazine, je le découpe et elle peut le reproduire en une nuit. Elle est douée, oui.

— Douée ? Elle a de l'or dans les doigts ! Tu me donneras l'adresse de son atelier.

— Oh ! Elle n'a pas osé se mettre à son compte. Elle travaille pour les maisons de la place Vendôme et du faubourg Saint-Honoré. C'est usant : tout le temps des collections elle bosse, jour et nuit, sans un dimanche de repos, et quand la saison est passée, on la met au chômage jusqu'à la prochaine, où on la reprend. C'est très ingrat.

— Ingrat ? De l'esclavage, tu veux dire. »

Le silence, de nouveau. Les regards s'évitent et les ongles recommencent de plus belle.

Arrivée à bout de souffle au sixième étage, la visiteuse s'était laissée tomber sur l'une des trois chaises paillées, laquelle chaise étroite avait gémi sous son poids. Ses yeux furetaient d'un angle de la pièce à l'autre – et le tour en était vite fait, de même que l'inventaire : un lit avec un cosy-corner portant un réveil, une lampe et une rangée de livres en maroquin rouge, tous semblables, une armoire à peine plus grande qu'un vestiaire, un poêle à pétrole, trois chaises, donc, et cette table ronde qui, dépliée, touchait les murs et le lit, interdisant tout mouvement autour. Un paravent à motif japonais grossier dissimulait l'évier et le réchaud à deux feux.

« C'est gentil, chez toi, bien entretenu. » Inspectant le sol, la visiteuse avait sifflé. « Magnifique, ton parquet. Tu l'encaustiques toi-même ? » La jeune fille avait hoché la tête : comme si elle pouvait s'offrir les services d'un cireur de parquets.

« Oh ! C'est du boulot, ça. Je t'admire. La paille de fer, puis l'encaustique. C'est ce que je disais aux parents pas plus tard qu'hier : "Éliane, elle est travailleuse".

— C'est du chêne, m'a dit le propriétaire, du chêne en point de Hongrie. Ce qu'on fait de mieux, a-t-il insisté, en me demandant de bien m'en occuper.

— Oh ! Tu es très bien là. Très bien installée. C'est un joli studio et tu en as fait quelque chose de coquet. »

Éliane haussait ses sourcils noirs épilés, l'air de penser *Elle se paie ma tête ou quoi ?*, mais n'en disant rien, se contentant de rectifier :

« C'est une mansarde, Paule. C'est ainsi que ça s'appelle. Dix-sept mètres carrés mansardés où l'on passe son temps à se cogner aux meubles. J'ai visité des studios, des beaux et des moins beaux. Eh bien, même le plus moche, je n'avais pas les moyens de me le payer. Mais... » Elle hésite, rougit, se lance : « Mais vous n'êtes pas venue jusqu'ici, vous n'avez pas monté les six étages juste pour parler chiffons, n'est-ce pas ? »

Elle avait baissé les yeux, attendu.

« Ce n'est quand même pas chic, ce qu'a fait ta mère, pas humain de t'avoir jetée à la rue comme ça.

— Oh !... Ce n'est peut-être pas plus mal. Je ne me voyais pas passer ma grossesse à côté d'elle.

— Justement... Parlons-en. Il faut que tu réfléchisses vite, que tu te décides vite et bien. Surtout, ne laisse pas les semaines filer sans réagir. Plus tu tarderas, plus ce sera compliqué. Tu es assez intelligente pour comprendre. Passé le premier trimestre, un médecin digne de ce nom refusera de t'aider, même à l'étranger. Sais-tu au moins à combien tu en es ?

— Oui, je le sais. Et vous le savez aussi. Ça s'est fait sous vos yeux, si l'on peut dire.

— Bien sûr, suis-je bête. Deux mois, donc. C'est beaucoup, beaucoup déjà... Ne crois pas qu'on soit contre toi. Toi en tant que personne. Ce n'est même pas une question de milieu. Tu sais que je t'aime bien, et les parents aussi t'ont appréciée la fois où ils t'ont rencontrée. Ce n'est pas toi. C'est que mon frère n'est pas prêt pour s'engager. Il n'est pas mûr pour devenir père, pas mûr pour toutes ces responsabilités. Vous iriez tout droit au casse-pipe.

— Que voulez-vous de moi ? Qu'attendez-vous, au juste ? Qui vous dit que je n'en veux pas ? » Elle baisse les yeux malgré elle, se pince la lèvre inférieure entre deux incisives. « Qui vous dit que je vous obéirai ? On ne se doit rien.

— Ne te braque pas. Ne me parle pas comme ça. Je suis là pour t'aider. Il faut dire aussi... Tu aurais pu faire attention.

— C'est peut-être que je ne suis pas si intelligente que vous le dites, ni si délurée.

— Personne ne dit que tu es une délurée. C'est un accident comme il en arrive aux filles depuis la nuit des temps. Et je te le répète, on t'aime bien. Il en va de notre honneur, aussi, l'honneur de la famille. Il est hors de question qu'on te laisse aux sales mains d'une matrone dans le fin fond d'un bouge. On dit qu'elles font ça avec des aiguilles à tricoter, à même la toile cirée de la cuisine, sans la moindre hygiène. »

D'effroi, Paule frissonne sous l'astrakan noir. Son parfum puissant – nuage poudré, capiteux – envahit peu à peu les quelques mètres cubes de la chambre de bonne.

Du sac à main, elle tire le chéquier bleu, en détache un chèque, le signe et le pose entre elles, au milieu de la table. Au coup d'œil furtif qu'elle y jette, Éliane peut lire que le compte est au nom des parents, pas de Paule.

« On ne t'abandonne pas, tu vois. Je te laisse remplir le montant. » Elle rit faux : « Sois raisonnable quand même, on n'est pas la banque à Rothschild.

— Je ne veux pas d'argent de votre famille. Je ne sais pas ce que je ferai, mais ce sera sans votre argent. Je me débrouillerai. »

Paule pointe du doigt une housse grise en haut de la petite armoire : « C'est quoi, ça ? Une machine à écrire ? Tu prends du travail à la maison ? »

Éliane : « Une machine achetée d'occasion, oui. Ma collègue m'a mise en relation avec un service de dactylo pour les étudiants. Je taperai leurs mémoires, leurs thèses. Ça aidera au loyer. »

Paule glousse, sa chaise gémit sous elle.

« On ne te laissera pas tomber, princesse. On veut que tu fasses ça proprement, dans l'hygiène et le sérieux des mains de toubib. Il y a la Suisse ; il y a l'Angleterre. C'est un peu comme tu préfères, ma foi. Avec quatre-vingt mille, tu aurais largement de quoi, pour l'une ou l'autre destination. Avec cent mille, tu pourrais même te payer l'avion pour Londres. »

Éliane sursaute : « Ça jamais. »

Paule rit, de bon cœur cette fois : « Ne me dis pas que tu as peur ? Peur de l'avion, toi qui fréquentes le gotha des pilotes ? »

Éliane : « Je ne sais pas si j'aurais peur. Je n'ai jamais pris l'avion. »

L'autre, euphorique : « Raison de plus pour t'offrir ton baptême de l'air. Prends cent mille. »

Parfois, c'est à se demander si elle est bête, songe Éliane, *ou seulement cruelle ou bien sourde encore..., bouchée au point de ne pas s'entendre parler. Parfois aussi, c'est comme être dans un film au scénario vieux comme le monde et comment dire ?... de ne pas avoir eu de veine à la distribution. Ça ne peut pas m'arriver – pas à moi. Et pourtant ça arrive.*

Paule a dégrafé son lourd manteau. « Finalement, je veux bien un doigt de porto, avec un glaçon si tu as. »

Éliane se lève, se déplie plutôt dans l'espace exigu puis se faufile derrière le paravent où ronfle un petit frigo.

« Comme je t'envie.

— Vous m'enviez, moi ? Vous vous moquez, c'est ça.

— Tu es roulée comme un carrosse. Au fond, ta mère n'a pas tant de mérite. J'imagine que tout tombe bien sur toi, que le tissu trouve sa place tout seul. Qu'est-ce que j'aurais pas donné pour avoir des jambes pareilles, une taille si fine, un décolleté plongeant ! Je tiens de ma mère, hélas, on est bâties comme des fûts de bière. Profite de ta jeunesse, de cette beauté qui n'est qu'un déjeuner de soleil. Ne va pas ruiner ce corps précocement : les kilos en trop, les vergetures, les seins qui tombent, tu as bien le temps pour ça. Ne va pas abîmer tes beaux yeux et tes mains délicates à taper des conneries d'étudiants toutes les nuits. Pense à toi. »

Est-ce le rouge écarlate du maroquin qui excite ses regards ? Est-ce l'idée qu'on puisse lire une somme de vingt livres identiques qui l'intrigue ? Ses yeux myopes plissés – porter des lunettes serait sans doute une honte –, elle tente de déchiffrer le dos des livres serrés sur le cosy-corner. N'y tenant plus, elle se lève, se penche au-dessus du lit et ânonne : *Œuvres complètes de Jean Racine*. « Tu n'as pas quelque chose de plus marrant à lire ? Comment veux-tu voir la vie du bon côté si tu te fais des tragédies ? C'est de la mauvaise influence, princesse. Va plutôt au cinéma. Va à la patinoire, toi qui es leste. Va danser à *La Huchette* avec une copine. Mais pitié, laisse tomber ce pédéraste de Racine. »

Pour faire place à la bouteille de porto, au gobelet et aux glaçons, Éliane repousse le chèque vers Paule. Qui le lui tend à nouveau. La bouteille tremble entre les doigts de la jeune femme, le goulot clique sur le rebord du gobelet.

« Tu as vraiment envie de mettre au monde un bâtard ?

— Je ne sais pas ce dont j'ai envie. Je voudrais que rien ne soit arrivé.

— Je ne vous comprends pas, tous les deux. Vous avez toute la vie devant vous pour faire d'autres enfants. Vous avez tout le temps de vous fréquenter, de vous amuser, de voyager, de vous connaître, et si, ma foi, tu l'aimes vraiment et qu'il t'aime encore...

— Bien sûr que je l'aime ! Je me suis donnée à lui, lui le premier ! Pour quelle sorte de fille me prenez-vous, à la fin ? »

Paule désigne du menton le rectangle écarlate.

« Je t'en prie, pas de théâtre entre nous. Baisse d'un ton. Restons des femmes pratiques. »

Ça lui va bien de se payer ma tête, songe encore Éliane, *elle qui fait des drames et des scandales à n'en plus finir*. Du sac en croco, la visiteuse sort une feuille de papier pliée en quatre : « Voici une liste d'adresses et un aperçu des tarifs. Sache que c'est à peu près le même prix dans les cliniques suisses et anglaises. N'hésite pas à prendre le meilleur établissement. Quand tout sera fini, tu me remercieras. Oui, princesse, je sais que c'est dur. »

Éliane baisse les yeux, murmure : « Vous l'avez fait vous-même ? »

Paule détourne le regard. Son lourd menton tremblote.

Les yeux noirs s'écarquillent : « Vous l'avez fait... plusieurs fois ?

— Ne dis pas de bêtises. Il ne s'agit pas de moi, ici. Mais je n'aurai qu'un conseil : ne traîne pas. »

C'est peut-être pour ça qu'elle n'a pas eu d'enfants, se tourmente la jeune femme, *on dit que certaines deviennent stériles après… Ça les a bousillées à l'intérieur, elles ont le ventre brûlé et sec… C'est le règne du vivant qui se venge, c'est le châtiment pour avoir tué.*

*

Depuis son emménagement, elle n'avait rencontré que trois personnes dans l'immeuble. La concierge, bien sûr, la voisine du cinquième étage, une dame seule à l'air triste, et une voisine de son étage, Fatna, mère de deux enfants en bas âge, enceinte d'un troisième, qui habitait à l'autre bout du palier une mansarde pas plus grande que la sienne.

Après le départ de Paule, on avait sonné à la porte – encore elle, sans doute, remontée chercher sa paire de gants oubliée sur un dossier de chaise. Éliane avait essuyé le rimmel coulé de ses yeux avant d'ouvrir et de se trouver face à Fatna, son beau visage doré qui lui souriait. « Oh, mais… tu as pleuré, toi. Faut pas rester seule. Viens dîner avec nous. »

Elle a hésité – c'est bête à dire, après coup –, elle se demandait si ce serait propre chez eux. C'était archipropre. « On aurait pu manger par terre », ont coutume de dire les commères de Bagneux, du respect plein la voix, pour dire qu'un intérieur modeste est soigné. C'est d'ailleurs ce qu'elles font, manger par terre, ou plutôt sur un tapis, assises en tailleur. Les garçons sont couchés, le mari fait la nuit. Il prend souvent le service de nuit, c'est mieux payé, explique Fatna. Éliane est bien. Son dos lui fait moins mal, tout son corps se détend.

Fatna la regarde en souriant : « Tu en es à combien, mon ange ? »

Éliane rougit, met un temps à répondre : « Ça se voit tant que ça ?…. Deux mois et deux jours. »

Fatna : « On ne voit rien mais je devine. Il est où, l'heureux homme ? »

Éliane : « Il n'est pas là. »

Fatna : « Il fait la nuit, lui aussi ? »

Éliane : « Il est chez ses parents. Il dort là-bas. »

Fatna se tait, soucieuse. Une ride verticale scie en deux le tatouage qu'elle a au front.

Éliane : « Et votre mari à vous ? Il est gentil avec vous ? Il se comporte bien ? »

Fatna : « Mon mari est un salaud qui ne me laisse pas un instant tranquille et me fait un enfant chaque fois qu'il m'approche. Béni soit le service de nuit ! Dès qu'il repasse en journée, me voici enceinte. Au dispensaire, elles se moquent de moi. Elles m'ont surnommée Fatale, "Fatal retour de couches". Mais c'est mon mari, alors je l'aime. »

Éliane rit, Fatna la regarde, attendrie : la jeune voisine est une gamine. Lorsqu'elle ôte son maquillage, défait son chignon, change son tailleur gris pour un pyjama à carreaux, c'est une gamine et un joli garçon manqué. Aussi facilement qu'elle s'était mise à rire, Éliane éclate en sanglots.

Le visage enfoui dans le corsage brodé de Fatna, elle pleure sans fin. Les enfants se sont réveillés et chacun à son étage du lit gigogne observe la scène.

« Là, là », égrène Fatna en berçant contre elle la jeune femme. « Là, là, mon ange. » Sur un signe impérieux de leur mère, les enfants replongent la tête sous les draps.

Éliane : « Je peux rester dormir ? »

Fatna, rieuse : « Tu habites à l'autre bout du palier. »

Éliane implore : « Dormir avec vous. Je crève d'être toute seule. »

*

L'aîné des garçons ronflote, parfois il déglutit mal, il suffoque (« Les végétations », a dit leur mère) puis la respiration revient – encombrée, douloureuse, mais elle revient et Éliane a moins peur.

La rumeur monte du boulevard où les voitures, plus rares, plus audacieuses aussi, filent à toute vitesse en brûlant les feux rouges. C'est la nuit de la ville, jamais tout à fait noire, jamais complètement silencieuse. Pour peu qu'il pleuve, on entend les freins gémir, toujours trop tard, et juste après le fracas des carrosseries. La semaine passée, à ce carrefour, trois personnes ont péri dans les flammes, prisonnières d'un amas de tôles encastrées. Il est tellement célèbre, le carrefour, pour son record d'accidents et de morts, qu'on s'étonne au matin de ces nuits où aucun carambolage, aucun hurlement ni aucune sirène ne vous a réveillé. Se réveiller... Elle dort si peu. La nuit elle ressasse ; la nuit elle est l'otage de son remords.

Elle se repasse le moment le plus cruel de la dispute – le plus humiliant aussi.

... « Tu ne te rends pas compte, répète Paule tel un disque rayé, tu le connais à peine.

— Ça fait cinq mois, quand même.

— Dédé avait de mauvaises fréquentations...

— Oh, pitié, ne l'appelez pas comme ça.

— Comme quoi ?

— André, son nom est André. Quand vous l'appelez Dédé, c'est comme si vous parliez de quelqu'un d'autre. Quelqu'un que je n'aimerais pas.

— Dis donc, princesse, c'est mon frère et je l'appelle comme je veux. Il prenait des manières de voyou et je l'ai repêché, juste à temps, en le faisant engager par monsieur Alexandre. Comme manœuvre – je sais, ce n'est pas glorieux mais il ne savait rien faire. Rien de rien. Ne voulait pas reprendre la boucherie non plus. Trop salissant, sans doute. Les jeux automatiques, ça l'amuse – c'est à la mode, tu comprends. Mieux vaut apprendre un métier manuel que de traîner avec la racaille du quartier. » Long soupir. « Je connais l'oiseau. C'est moi qui l'ai élevé pour ainsi dire. Il a dû te le raconter, non ? »

Non, André n'avait rien dit de tel. Il ne livrait pas grand-chose de lui-même ni de ses sentiments pour ses proches. Il semblait ne juger personne, au point qu'on pouvait se demander parfois s'il avait un quelconque jugement. Il se taisait, et c'est comme si tout le monde était tacitement d'accord pour qu'il se tût, Éliane comme les autres – elle qui ne l'avait jamais interrogé sur ses parents, n'en avait ressenti ni le besoin ni la curiosité.

« Sans moi, il aurait grandi à la rue. Sans moi, il serait peut-être en prison à cette heure. Il a été renvoyé de toutes les écoles, les publiques et les privées. Il ne s'écoulait pas de semaine que je n'aille le chercher au moins une fois au commissariat. » De son sac, elle sort un paquet de blondes américaines et un briquet carré en or guilloché. La cigarette qu'elle porte à ses lèvres a un curieux embout rose. Le parfum miellé du tabac lève un peu le cœur, mais Éliane se tait et va chercher un cendrier. L'autre poursuit : « Ce n'est pas que notre mère soit une mauvaise mère, non. Mais pour elle, les enfants, ça doit pousser tout seul. Pour elle, une fois que les enfants ont de quoi manger, s'habiller et se chauffer, son boulot de mère est fini. » Nouveau soupir. « Elle a été bien aise de me trouver là pour le langer, le torcher, le nourrir, le merveilleux héritier. Pour lui apprendre à marcher, à parler, à dire bonjour. J'attends encore qu'elle me remercie... De lui, Dédé, oh ! je n'attends rien. Il est aussi égoïste qu'un gamin de quatre ans.

— Avec moi, il se comporte en homme et je suis prête à l'épouser.

— Ne rêve pas. Tant qu'il est mineur, il ne peut pas t'épouser.

— Mineur ? Cette bonne blague.

— J'ai l'air de plaisanter ? André a dix-sept ans. Ce qui s'appelle être mineur. »

Éliane sent ses genoux fléchir, le joli parquet se dérober sous elle. D'entre ses doigts le cendrier glisse et heurte la table.

« Tu es toute pâle. Rassois-toi. Inspire un grand coup... Il ne t'a donc rien dit ? »

Sans voix, elle secoue la tête.

« Mais dis-moi : quel âge lui donnais-tu ?

— Je ne sais pas, moi... Vingt-trois, vingt-quatre ans.

— C'est la moustache. Il a pris des années en laissant pousser sa moustache.

— Je comprends mieux, maintenant. Je me demandais pourquoi il ne parlait jamais de son service. Tous les gars adorent parler de leur service, du bon vieux temps sous les drapeaux – mais pas lui. Et pour cause. »

Elle sourit dans le vague, ses yeux retrouvent un peu d'éclat.

« Tu vois bien qu'il n'est pas libre de t'épouser. Pas sans l'accord des parents, et ils ne voudront jamais.

— Je sais que son anniversaire tombe en mars. Devenu majeur, il pourrait m'épouser. Deux mois plus tard, notre enfant naîtrait comme tous les enfants, de parents unis par la loi. Un enfant reconnu. Un enfant légitime. »

Paule a posé ses mains lourdes de chair et de bijoux sur les mains nues de la jeune femme. « Tu es une fille moderne. C'est ce que tu es, non ? Vis ta vie. Vingt ans, c'est trop jeune pour t'embarrasser d'un gamin et d'un mari lui-même enfant. Faites vos expériences, ne vous laissez pas écraser par ce fardeau qu'est un enfant – que dis-je, un fardeau ? Un bagne, oui, où vous serez pieds et poings liés ! Vivez, voyagez, rêvez… Ma foi, si vous vous aimez encore dans quelques années, il sera toujours temps d'en refaire un, de môme, un que vous aurez décidé. Tu m'écoutes ? »

… Et elle avait mis Paule dehors, mais sans se sentir victorieuse de rien, juste pour pouvoir pleurer tranquille.

*

Rien ne dérange le sommeil de Fatna et ses garçons. Ni les cris des blessés ni le hurlement des sirènes. Éliane se glisse hors du lit, cherche ses ballerines à tâtons, rentre chez elle pieds nus et dans le noir. À la lucarne, elle les observe : pompiers, police-secours, ils sont tous là, arrivés en nombre. Les scies tronçonnent le métal, deux pompiers tentent de désincarcérer le conducteur d'un des véhicules, ils n'y arrivent pas, alors ils s'énervent, leur chef leur fait signe d'attaquer un autre angle mais le conducteur n'a plus manifesté de signe de vie depuis des minutes et les secouristes s'affolent. *À quoi bon vous affoler ? à quoi bon s'en faire, si pour ces gens-là une vie ne vaut rien, même pas la leur ? Est-ce qu'une vie a encore une valeur ? À quoi bon sauver une vie ? Nul n'y est tenu. Dis-toi, ma fille, que nul n'y est tenu.*

Trois semaines plus tôt

Éliane pouvait l'entendre monter les marches deux par deux. Les six étages ne l'ont pas essoufflé ; pas une goutte de sueur ne luit sur son teint clair et lisse. Il sourit.

« Tu es prête ? »

Une bière, une cigarette et le voici de nouveau dressé sur ses jambes hautes. D'une poche arrière de son pantalon il a tiré un petit peigne en métal et tente de plaquer en arrière la longue frange blonde qui lui retombe inévitablement sur le nez. Éliane s'est changée, comme chaque soir elle a passé un pantalon court de corsaire, une marinière et des ballerines. Ses cheveux sont contenus dans un foulard rose et blanc au nouage compliqué.

Ils partent sur la Vespa et filent à travers les chantiers de la Zone, cette banlieue à venir qui n'est qu'une vaste succession de mines à ciel ouvert. Par les vieilles rues d'Arcueil, Cachan et Bagneux, ils prennent les voies les plus accidentées où le deux-roues se cabre et rue, un vrai tape-cul. Ils rient. Oui, à certains moments, le jeu triste les fait éclater de rire – *Des gosses*, soupirent les passants qui les regardent passer en trombe.

D'abord, ils étaient restés solidaires. Ils affronteraient ça ensemble, à deux, avait promis André. Mais il était fébrile et elle, abattue. Il fallait *faire passer la chose* et André rendait ça presque amusant avec ses pitreries sur la Vespa. Un copain de l'atelier de dépannage lui avait indiqué cette technique : il installerait sa belle à l'arrière (*pas en amazone, hein, elles veulent toutes monter en amazone parce que c'est plus chic, plus décent, que ça va avec leurs jupes étroites, mais là non, faudra qu'elle monte à la dure, à califourchon comme un homme*), puis il l'entraînerait dans les rues et les ruelles les plus défoncées, il prendrait les nids-de-poule à toute vitesse, sur les dos-d'âne il accélérerait et tant pis s'il crevait, s'il y laissait dix ou vingt pneus car, à ce régime, ce serait bien le diable si la chose blackboulée par les soubresauts et les chocs ne se décrochait pas dès les premières équipées.

Ainsi ils passèrent plusieurs soirées et tout un week-end à pétarader dans les rues mal pavées puis sur les chemins de terre autour des terrains vagues, dans ces anciennes fortifs où André, repérant des copains d'enfance sur un terrain de foot improvisé, s'arrêtait parfois et réalisait quelques dribbles, tirait des penaltys imaginaires dans une lucarne non moins imaginaire ; Éliane ne s'éloignait pas de la Vespa posée sur sa béquille, elle s'ennuyait vite, regardait sa montre, mâchouillait une pointe de ses cheveux – et ça c'était le signe de l'agacement extrême, du reproche muet qui torturait André, et Éliane savait mieux qu'aucune autre faire la tête, et comme aucune autre elle savait qu'André devenait nerveux quand elle faisait la tête car il ne pouvait rien contre ce mutisme, ce front obtus, ces regards au loin qui semblaient le transpercer comme s'il était devenu invisible, ou disons, qui passaient outre sa présence, outre son mètre quatre-vingt-six, ses larges épaules et son irrésistible sourire étoilé de fossettes. Quelques penaltys, donc, puis l'accolade, la promesse de reprendre les matchs bientôt, et André redémarrait la Vespa, sa fiancée lui entourant la taille de ses bras délicats, en route vers les cahots et les trépidations. Le nez enfoui dans la peau souple et odorante du blouson de daim, Éliane se sentait chavirer et serrait plus fort la taille de son amant.

Mais rien n'y fit. Bientôt, ce fut la semaine de la Fête des Vendanges et l'arrivée des attractions foraines. Ils essayèrent tout, les autos tamponneuses, les montagnes russes et, pour finir, le grand-huit où Éliane pensa mourir de peur – ce qui eût été une façon radicale de régler ses problèmes, songea-t-elle. Elle se contenta de vomir.

André perdait son sourire, buvait beaucoup trop le soir. « Ne t'inquiète pas, lui souffla une nuit Éliane tandis qu'aucun des deux ne trouvait le sommeil sous la mansarde au toit brûlant. J'ai demandé conseil à une collègue, Colette, elle a déjà connu ces soucis et m'a donné quelques trucs.

— Encore des recettes de bonne femme, maugréa André et la pointe de sa cigarette grilla plus fort dans le noir.

— Pour ce que vos recettes d'hommes ont l'air de marcher… »

Colette Cordelois aussi fumait, les mêmes cigarettes qu'André, des brunes sans filtre qui piquaient les yeux, le nez et la gorge, qu'elle rangeait dans un bel étui en argent car c'était une femme élégante, sophistiquée même, ne s'habillant que dans les meilleures boutiques, ne confiant ses cheveux et ses ongles qu'au très célèbre salon Carita. Du fumeur, elle avait aussi la voix grave et rocailleuse : « Trésor, c'est tout sauf compliqué. Tu as une lessiveuse chez toi ? Non ? Il te faut une lessiveuse, tu prends le modèle de base, en fer-blanc, qui ne coûte presque rien. Il te faut un tabouret. Tu as bien un tabouret ? Alors voilà. Tu installes ton tabouret sur un sol solide et plat. Tu as quoi au sol ? Du parquet... Mouais, ça devrait tenir. Protège-le avec une couverture, quand même. Bon, maintenant tu emplis ta lessiveuse à ras bord, tu attrapes les poignées d'une main ferme car c'est très lourd, alors tu grimpes sur le tabouret avec précaution – c'est la partie le plus délicate – et là, une fois juchée sur le tabouret, la lessiveuse serrée contre ton ventre, tu respires un grand coup et tu sautes à pieds joints. Tu t'y reprends autant de fois que tes forces te le permettent. Rien ne résiste à ce poids. Ça se détachera forcément. »

C'était une affaire de gravité. Rien n'échappe à la gravité.

. . . .

André, on s'émerveille s'il aligne plus de trois mots d'un coup. Parler n'est pas son affaire, mais danser, mais embrasser, mais caresser.

Il a beau les laquer tant et plus, ses cheveux indociles se libèrent en quelques secondes du carcan de gomme. Et la mèche enroulée au sommet du crâne façon Elvis, façon blouson noir, la mèche blonde retombe sur les yeux bleus, frange lourde et soyeuse qui le rend à son adolescence, ses dix-sept ans.

Un dimanche qu'il est de garde, un cabaret appelle pour un juke-box et plusieurs consoles en panne. « Tu m'accompagnes ? » propose-t-il à Éliane. Un chanteur est là, sur la petite estrade du cabaret, en répétition avec deux guitaristes et un batteur. Éliane l'a reconnu, André aussi : c'est le jeune chanteur pied-noir à la mode que les radios matraquent. Colérique, il s'en prend à l'un des guitaristes, puis à son batteur, et, comme la cacophonie continue, il se tourne soudain vers le dépanneur.

« Eh ! l'ouvrier du dimanche, va répandre ta misère ailleurs. »

André se redresse, fronce les sourcils, interpelle Éliane et les musiciens :

« C'est qui, celui-là ? Il se prend pour sa photo, ou quoi ? »

Les musiciens ont souri en douce, mais pas Éliane qui voit les mâchoires se serrer, les poings se fermer déjà : André, faut pas le chauffer, pas le chercher. « Des copains meurent tous les jours au bled à cause de profiteurs comme toi. Mais toi, tu te réfugies ici pour chanter ta guimauve. Et tu oses dire que tu aimes ton pays ? » D'un ricanement, le chanteur défie André – *Nous y voilà*, songe Éliane quand, sous la frange blonde, les yeux azur ont viré électriques. Avant de fondre sur le type, André observe qu'il a un regard de veau mort. Deux secondes plus tard, il n'a plus de regard du tout : il gît au creux de la grosse caisse qu'il a brisée dans sa chute, inconscient, l'œil gauche tuméfié. Le patron du cabaret accourt, fait sortir André et sa fiancée par une issue de secours : « Sauvez-vous, les enfants », et il glisse dans la main du dépanneur trois gros billets. Ils ont à peine parcouru vingt mètres qu'André réalise qu'il a laissé sa boîte à outils sur place. Il retourne au cabaret. Le chanteur ressuscité larmoie sous le coquart. À la vue d'André, d'abord il tremble puis fait le fier devant ses musiciens : « Toi, t'es un homme mort. » Méticuleux, André ramasse ses outils et range chacun à sa place dans les compartiments de la boîte. Tout aussi impassible, il regarde le chanteur. « Alors comme ça, tu vas me tuer ? Il t'est poussé des couilles en cinq minutes, c'est ça ? » Le chanteur mouline des bras et fait mine de vouloir en découdre, ses musiciens font semblant de vouloir le retenir, André repart tranquille, sa caisse intacte, et sourit au patron en franchissant la porte western – la sortie officielle, cette fois.

Oui, il était solide, André, et athlétique. Lorsque Éliane, chassée par sa mère, avait trouvé à louer cette chambre sous les toits (pensant *C'est provisoire*, ne supposant pas une seconde que ce provisoire allait durer dix longues années), le jeune homme avait à lui seul assuré l'emménagement, portant sommier, matelas, chaises, table et frigo sur son dos, et de toute la matinée ne s'était plaint ni n'avait cessé de sourire. Puis il avait monté trois seaux de peinture, un bidon de white-spirit, un pinceau pour elle, un rouleau pour lui, et jusqu'au milieu de la nuit, chantant à tue-tête, ils avaient repeint la pièce d'un bel ivoire, chaud et tendre, *comme un nid dans le ciel* songeait Éliane, sauf qu'aucun petit ne viendrait égayer ce nid.

. . . .

Était-ce l'excitation ? L'angoisse ? Après leurs virées en Vespa, André se confiait soudain. Il racontait ces choses de son passé (et pour une vie aussi neuve, le passé c'était hier, juste avant de la rencontrer), un passé qu'il appelait *mes conneries*, de ce temps récent où il traînait avec les Blousons noirs d'Alésia. Ils se réunissaient au pied de l'église Saint-Pierre-de-Montrouge, leurs motos envahissant le parvis, et ils se soûlaient à la bière en faisant peur aux passants du carrefour. Puis ils se postaient devant les vitres de la brasserie Zeyer ou à la terrasse du Bouquet et, là, se dandinant, ils baissaient leurs pantalons de cuir et montraient leurs fesses aux bonnes gens attablées. Ça les faisait rire. Tous ces durs raillaient le jeune Dédé, trop pudique ou trop bien élevé, qui gardait son pantalon. Les flics l'avaient pourtant raflé avec les autres, sans faire le détail. Soucieuse elle écoutait, se forçant à sourire : il était si puéril. Comment ne l'avait-elle pas vu plus tôt ? *Qu'est-ce que je vais devenir avec lui, quand bien même il voudrait de moi ?*

Mais voici qu'il l'embrassait, l'étreignait plus fort : « J'en ai eu de la veine, de te rencontrer. Je suis sacrément verni, je le sais. » Il l'embrassait à lui écorcher les lèvres. C'était une torture sans cesse recommencée que l'épaisse moustache – mais elle n'osait le dire et endurait la brûlure des baisers.

(*Pourtant il faut parler, parler, parler.* Elle aurait pu lui dire que cette moustache faisait mal. Peut-être se fût-il laissé convaincre de la raser pour elle – et ainsi elle aurait vu, de ses yeux dessillés elle aurait vu les dix-sept ans scandaleux. Eût-il refusé, elle aurait pu alors s'en étonner, se plaindre, et il aurait bien été contraint d'expliquer son mensonge, cet âge que la moustache cachait. « Face au silence des hommes, disait Colette la collègue, nous n'avons d'autre choix que de parler. Car ils ne mentent pas vraiment, ils omettent de dire. À ce sport, ils sont incroyablement doués quand il s'agit d'obtenir ce qu'ils désirent. Quelle fille pas trop godiche aurait-elle envie de sortir avec un gars pas encore en âge de l'épouser ? Quant à coucher, n'en parlons même pas. » Il aurait suffi de quelques mots, une phrase simple et directe comme : « Sois gentil, sois doux, débarrasse-nous de cette paille de fer que tu as sur la lèvre », oui, même une boutade aurait fait l'affaire : ils ne seraient pas aujourd'hui dans un tel pétrin.)

Les semaines ont passé, des hectolitres d'eau ont coulé dans la lessiveuse, mais pas un filet de sang. Le sang n'a pas coulé. Ni fausse couche ni règles – le sang se fait attendre et Éliane réalise qu'elle peut attendre longtemps, quelque chose comme sept mois : la chose est là, qui s'accroche.

« C'est incroyable », dit André, sourcils froncés, les masséters roulant sous la peau comme chaque fois que ça bardait en lui et qu'il se réfugiait dans des poses de voyou. « C'est tout de même insensé comme il résiste, comme il en veut. »

Éliane frissonna de tout son long : « Qu'est-ce qui te fait dire que c'est… que ce serait un garçon ? »

Et elle trembla de plus belle : soudain, c'était se poser la question de son éventuelle existence, de sa possible venue au monde sous un sexe ou sous l'autre.

André prit une voix de dur : « Je disais *Il*, mais c'était sans penser garçon ou fille. Je pensais *le bébé*. Le bébé, il résiste… Il tient bon. »

Il y avait comme du respect dans son intonation rugueuse, un respect involontaire et vaguement effrayé.

C'est ainsi, par sa résistance aux chocs et aux agressions,

par sa volonté de venir au monde que la chose s'était animée, était devenue quelqu'un ou – n'allons pas trop vite – la possibilité de quelqu'un. Elle avait reçu le nom d'enfant futur. Alors, pour de bon, Éliane éclata de rage autant que de chagrin parce que le mot avait été prononcé, le mot interdit, le mot qu'on a la décence de taire quand on ne veut pas être père. André la prit dans ses bras, la berça un peu, sans conviction ; quand les sanglots eurent cessé, il murmura : « Chérie, c'est l'heure pour moi de reprendre le taf. Il faut que je me sauve. »

Ce furent les derniers mots qu'Éliane entendit de sa bouche. Ils sonnaient le glas de la solidarité.

André (le Dédé en lui) cessa d'appeler sa petite fiancée au bureau. Il ne vint plus l'attendre au métro Vavin. Il grimpa les six étages une dernière fois en douce, comme elle le découvrit ce soir-là où, rentrant du travail en nage et épuisée, elle trouva le double des clés sur la table. Trois clés reliées par un anneau de fer. Trois clés dont on ne veut plus. Qu'on abandonne sur un coin de table sans un mot d'explication. Dans la petite armoire on avait fait le vide. Disparus, la canadienne, le costume bleu nuit, les deux chemises de rechange, la cravate, les maillots de corps et les sous-vêtements. Disparu, le bonhomme.

Le 93

Le boulevard Montparnasse luit sous la pluie d'automne. Elle évite les flaques, sautille sur la pointe de ses escarpins mais l'eau s'insinue tout de même dans les souliers échancrés. Les pieds trempés, sur ses talons aiguilles elle est soudain perdue. Elle n'a pas pris un gramme qu'elle se sent lourde déjà, et entravée. La gravité nouvelle dans son corps l'empêche d'aller comme avant, de trotter comme avant, de danser comme avant. Et c'est comme si tous les regards se braquaient sur elle pour dénoncer son ventre plat et pourtant plein.

Au numéro 93 du boulevard se dresse un immeuble massif en belle pierre de taille. Sur les marches humides du perron, les éclats de mica scintillent et constellent le bitume noir tel un ciel de nuit inversé. Au flanc droit de la majestueuse double porte, une plaque de cuivre indique qu'on entre à la DGAC, un service du ministère de la Défense nationale, et, pour peu qu'on lève le nez au fronton de l'édifice, on trouvera gravée dans la pierre une élucidation de l'obscur acronyme :

DIRECTION GÉNÉRALE DE L'AVIATION CIVILE

Entre eux, les initiés se passent de mots et même de lettres : on dit *le 93*, tout simplement. Dire plus, ce serait passer pour un plouc, un cave, un béotien.

Face au monumental escalier de marbre, Éliane redresse la nuque, lisse les pans de son imper et plaque derrière son oreille une mèche échappée du chignon. Chaque matin, devant l'escalier, elle mesure sa chance d'avoir décroché ce poste auprès d'un aviateur héros de la dernière guerre et de la Résistance, le général Chanel, aux commandes du *93* depuis dix ans.

Pour elle qui a fait ses débuts dans des pools dactylographiques – ces usines de femmes aux cadences infernales, où l'on tape à la chaîne sans espoir d'en sortir un jour – le secrétariat particulier d'un général cinq étoiles ressemble à un cadeau du sort, prestigieux et excitant.

Pourquoi fallait-il un militaire pour diriger l'aviation civile, c'est la question qu'Éliane n'avait pas posée le jour du recrutement. Elle était si traqueuse, la bouche sèche, les mains tremblantes, qu'elle crut avoir tout raté, l'épreuve de sténo, celle de dactylo, le test téléphonique, jusqu'à son entretien avec la secrétaire en chef, une femme brune toute menue que le général appelait d'un viril et tonitruant « Cordelois », son nom de famille, comme s'il se fût agi d'un camarade de promotion ou de beuverie. C'est cette madame Cordelois qui avait accueilli Éliane au bas de l'escalier du *93* le matin de son embauche. Elle riait de sa jolie voix éraillée, sans méchanceté. « Qu'est-ce que tu avais peur, l'autre jour, pendant les tests ! Tu faisais peine à voir et pourtant je me disais : si cette gamine arrive à dominer une panique pareille, elle pourra surmonter beaucoup d'autres choses. » Éliane avait rougi. « C'est que je suis timide, madame. Je sais, c'est infantile, mais je n'y peux rien. » Cordelois avait plissé les yeux pour mieux la jauger. Sourire en coin, elle dit un ton plus bas : « Timide ? Hum. J'ai dans l'idée qu'elle est à géométrie variable, cette timidité. » Puis elle rit encore. « Brisons la glace, trésor. Appelle-moi Colette. »

Elle n'était plus toute jeune, Colette, mais elle avait du chien avec ses cheveux bruns coupés à la garçonne, ses robes en jersey crème et ses larges bracelets d'ivoire ou d'argent – les bracelets africains, surtout, séduisirent Éliane.

Dans leur antichambre, séparées du bureau du patron par une double porte capitonnée, les secrétaires avaient la paix et il arrivait que la plus jeune se mît à fredonner puis, oubliant le lieu, oubliant jusqu'à sa collègue, qu'elle en vînt à chanter haut et fort. Colette aimait le léger voile dans la voix, et, si jamais cette voix traversa les capitons de cuir de la porte, le général n'en dit rien. Le chant n'était pas pour déranger un univers masculin aride en émotions et avare en paroles. Peut-être même le berçait-il : tous ces guerriers sans guerre sont comme des belles congelées dans des bureaux dormants ; ils vivotent d'un demi-coma, attendant l'assaut et le baiser mortel du feu.

Des chaises tapissées et pivotantes, des machines Olivetti flambant neuves au clavier extra-souple, elles avaient tout le confort pour travailler et disposaient du dernier cri en matière de technologie. Le téléscripteur avec son bruit singulier de mitraille faisait penser à une arme aléatoire qu'eût réveillée à distance un artilleur invisible – et les deux secrétaires sursautaient en râlant à chaque nouveau télex qui tombait comme tombent les bombes et les mauvaises nouvelles. La broyeuse à papier, quasi silencieuse, elle, à peine détectable dans l'espace, accomplissait son œuvre furtive : faire disparaître les secrets éventés et les projections obsolètes. Et puis il y avait le projecteur, un modèle grand luxe digne d'une cabine de cinéma, disait le général Chanel, posé sur une table roulante que Colette faisait glisser dans le bureau de Chanel tandis qu'Éliane déroulait l'écran escamotable dissimulé derrière un portulan. Elles apportaient les cafés, les whiskies, les cendriers et refermaient derrière elles la porte capitonnée, laissant les hommes entre eux, solennels, inaccessibles, occupés à regarder des avions de divers pays décoller, voler puis atterrir, des heures durant.

Heureusement, Chanel n'était pas un mondain et encore moins un courtisan. Pour ses rares visiteurs, un coin du secrétariat faisait office de salle d'attente. Un canapé en cuir râpé était flanqué de guéridons tout juste assez larges pour y poser une tasse et un sucrier mais c'était sans importance car ils n'auraient jamais le temps de boire le café ni de fumer leur cigarette : mollet impatient, visage clos, le général venait les chercher au pas de course et les expédiait en trois minutes, salutations comprises. Les employées se moquaient de bon cœur. C'était à se demander si le général n'avait pas un minuteur dissimulé dans un tiroir de son bureau ou bien un sablier greffé dans l'estomac. « On pourrait cuire un œuf à la coque, disait Colette, le chrono est parfait. » C'est ainsi que les visiteurs reçurent le nom générique de têtes d'œuf.

Quel contraste c'était, au soir, que de quitter le bel immeuble, ses lambris et ses lustres, ses murs feutrés, son parquet verni, son mobilier victorien et ce nuage indéfinissable qui baignait le lieu (la fumée des cigarettes et havanes, oui, flottant en nappes bleuâtres sous le haut plafond, mais aussi le bois blond des meubles, le cuir des fauteuils, la cire encaustique à la térébenthine et cette virile eau de Cologne ambrée dont s'aspergeait deux fois par jour le général, tous effluves se mêlant en une cohésion parfaite qui se serait appelée *l'odeur du 93*), quitter cet empyrée, donc, pour se retrouver dans la maison noire de Bagneux où Éliane a grandi comme sa mère et sa tante avant elle, cette maison lépreuse et à demi ruinée dont l'odeur colle à la peau comme une poisse, où les pourritures de salpêtre et les vapeurs d'égout montées de la cave le disputent aux relents de pauvres ragoûts et à la puanteur du chiotte collectif dans la cour contre laquelle aucune eau de javel, même versée à pleins seaux, ne peut plus rien.

Elle aimait travailler le soir, dans le silence du vaisseau déserté, seule à bord avec le général. On éteignait les plafonniers trop crus pour les yeux fatigués et les lampes opalines vertes prenaient le relais, leur lueur tamisée répandant à la surface des meubles et des corps des ombres végétales de jungle ou de fonds marins. Le général dictait, elle prenait en notes ; elle tapait le plus doucement possible, retenant ses doigts sur les petits marteaux afin de ne pas gâcher la quiétude du moment ; ils relisaient ensemble. Parfois, si les choses traînaient – à croire que Chanel n'était guère plus pressé de rentrer chez lui –, si elle les faisait traîner en tapant au ralenti et s'il perdait son temps à des coups de fil sans urgence – à croire qu'ils étaient complices tous deux –, Chanel faisait monter de la brasserie du coin un *snack*, disait-il, *un en-cas, histoire de ne pas bosser le ventre vide*, et bientôt ils s'attablaient tant bien que mal chacun sur un guéridon, chacun devant son assiette anglaise ou son club sandwich. Chanel desserrait sa cravate et accrochait sa serviette à son col de chemise ; sagement, Éliane dépliait la sienne sur ses genoux serrés et chaque fois s'enthousiasmait : « J'adore manger sur le pouce », une expression qu'elle avait l'air de trouver chic et amusante – qui faisait rire le général, au moins.

Et oui, c'était plus drôle, plus excitant de pique-niquer parmi le beau monde que de se retrouver autour de la toile cirée dans la maison noire et de redécouvrir combien les siens étaient tristes, leurs destinées cruelles. Tant est puissant l'opium de l'habitude qu'il en vient à rendre vivable le plus monstrueux, le moins acceptable de notre condition, ce que vingt années de toile cirée et de soupe anesthésiante lui avaient fait oublier, ce désespoir qui ne sait même plus qu'il désespère, voici qu'il resurgissait et lui coupait le souffle avec la violence d'un coup au sternum.

À présent, était-ce mieux ? Qui donc aurait envie de rentrer le soir si c'est pour se retrouver seule dans dix-sept mètres carrés, à étouffer sous le plafond en pente ? Qui aurait envie de tourner en rond dans cette cage, de ruminer sans fin les lancinantes questions sans réponse – l'esprit tellement confus qu'elle n'était même plus libre d'ouvrir un livre, ni de mettre un disque sur le pick-up ni d'écouter une radio ?

Alors elle passe au kiosque du métro Vavin, achète un journal ou une revue qu'elle n'ouvre pas, s'attarde aux terrasses à regarder les passants et à essayer d'imaginer quelle est leur vie quotidienne, vers quel lieu désirable ils hâtent ainsi le pas, si c'est pour un rendez-vous amoureux, un bon repas en famille, ou s'ils vont prendre leur service de nuit dans l'une des nombreuses brasseries du boulevard ou dans quelque hôpital voisin, Cochin, Baudelocque, Saint-Vincent-de-Paul ou Port-Royal. Elle est née là, Éliane, à la maternité Port-Royal.

Passe, passe à autre chose.

Plus d'une fois dans ces semaines, elle pensa à se suicider. Elle imagina des scénarios divers qui tous lui répugnaient. Se jeter par la fenêtre du studio semblait le plus efficace et le plus rapide – six étages, la chute ne pardonnerait pas, et quel spectacle sur le pavé. Mais elle avait le vertige, c'est tout juste si elle pouvait s'approcher du garde-corps pour secouer un chiffon – jamais elle ne pourrait sauter. Elle n'avait pas de somnifères sous la main, aucun pharmacien arrangeant dans son entourage. Bien sûr il y avait le métro, on pouvait compter sur le métro, mais elle pourrirait la journée de milliers de personnes qui n'avaient rien demandé – sans parler de la peine des pompiers appelés à ramasser les morceaux. Restait à s'ouvrir les veines, mais un article de faits divers l'en avait dissuadée : il ne suffisait pas de s'entailler le poignet comme le font, d'un geste délicat, les actrices indolentes dans leur baignoire de marbre ; il fallait y mettre beaucoup de force et d'acharnement, insistait l'article – presque un mode d'emploi – pour atteindre les veines et trancher en profondeur. Enfin, elle se dit qu'elle n'en avait pas le droit, plus maintenant qu'elle portait en elle un second être. Elle serait devenue deux fois criminelle.

Un jour, elle était certaine de vouloir avorter. Un autre jour – et ce pouvait être le lendemain – rien n'était plus beau ni exaltant que de porter un enfant. C'étaient les jours vivables. Des jours carrés, des jours maîtrisés.

Mais la plupart des matins elle se réveillait les yeux humides. Ce que les paupières closes avaient contenu de chagrin et d'effroi dans la nuit, le jour le libérait en longs pleurs silencieux, intarissables.

La plupart des matins elle ignorait ce qu'il fallait faire, ce qu'elle voulait faire, ce qu'elle pouvait faire, et elle traversait les heures dans une angoisse aveugle, toute volonté paralysée. Dans sa sidération, elle se rappelait les mots de la vilaine sœur, la bréhaigne qui avait pourtant raison sur un point : à ne pas se décider, elle laisserait le calendrier décider pour elle. À ne pas se décider, elle acceptait la suprématie des corps.

Un soir, Colette Cordelois, son manteau sur le dos, s'étonna : « Mais que fais-tu à traîner encore ? » D'autorité, elle saisit la housse de plastique kaki et en recouvrit la machine. « Il est l'heure de rentrer chez toi. Va. Va retrouver l'heureux élu. Les avions et les armes attendront, crois-moi. »

Éliane pâlit, le sang reflua de son cerveau et ses yeux se voilèrent de noir. Colette eut juste le temps de l'attraper par la taille et de la coucher sur le canapé des visiteurs. De son sac à main, elle sortit un flacon d'alcool de menthe qu'elle fit respirer à l'évanouie. « Tu peux te vanter de m'avoir fait peur, trésor. Çà oui ! Tu es glacée, secoue tes mains, remue tes jambes. »

Colette radotait, lui répétant sans fin que, dans son état, elle devait manger plus et à heures régulières, ne pas se tuer à la tâche.

Éliane planta ses grands yeux noirs dans les siens : « Je ne vous ai pas tout raconté… Moi aussi je mens. Ou j'omets de dire, comme vous voudrez. »

Elle avait tellement honte, d'une honte si cuisante que ses joues et son front reprirent un peu de couleur.

« Il m'a quittée. Il est reparti vivre chez ses parents. »

L'expression outrée de Colette aurait paru comique à quiconque en humeur de rire – elle ne fit qu'accabler un peu plus la fille abandonnée. Poings sur les hanches, voix de titi furax, elle vitupérait dans le vide.

« C'est qui, ce zigoto ? Bon sang, c'est quoi ?…. Un zéro ? Un sadique ? Un idiot ? »

Lorsque Éliane finit par avouer l'âge de son amant, la collègue se laissa tomber sur un bras du canapé. « Toi alors ! On peut dire que tu les collectionnes, les emmerdes.

— Comment pouvais-je deviner ? Vous nous avez croisés, l'autre soir, sur le boulevard. Vous l'avez vu. Vous lui auriez donné dix-sept ans, vous ?

— Mais moi, trésor, je ne couche pas avec.

— Croyez-moi, répliqua Éliane d'une petite voix froissée, *dans ces moments-là aussi*, il fait plus que son âge. »

Elle rougit encore de son audace et ses épaules s'affaissèrent. « Pardon, pardon », suppliait-elle, et personne, pas même elle, n'aurait su dire à qui cette demande s'adressait.

« Est-ce que tu l'aimes, au moins ? »

Les yeux noirs flottaient au plafond, noyés, enfiévrés.

« Évidemment je l'aime. Il me donne des frissons quand il m'embrasse dans le cou, il me bouleverse quand il sourit. Mais il a fui. Il me lâche, lui aussi. Tout le monde me chasse et m'abandonne. Je suis une fille foutue, voilà la vérité.

— Mais est-ce qu'il te manque quand il n'est pas là ?

— Oui… Oui et non. Il m'a menti. Il s'est moqué de moi en mentant sur son âge. Je passe pour quoi, moi ? Il m'a trahie, vous comprenez ?

— Tu ne réponds pas à ma question.

— Oui… Un homme me manque. L'idée d'un homme. C'est sûr que j'en aurais besoin. Mais comment manquer de ce gamin soumis comme un caniche aux ordres de ses parents, qui accourt quand ils le sifflent et préfère dormir dans sa chambre d'enfant plutôt qu'avec moi ? Je ne suis même pas sûre que s'il revenait, je le reprendrais. Si ça se trouve, je serai mieux toute seule. »

Colette hocha la tête. « Ça va pas être facile, facile. Mais je serai là. Tu sais que tu peux compter sur moi, non ? Maintenant, prends ton courage à deux mains et va parler à Chanel. Malgré son air de treizième à table, ce n'est pas le pire des patrons.

— Pourquoi parlez-vous de lui si mal ? Le général est un gentleman.

— Hum… Un gentleman, soit, puisque tu y tiens, trésor. »

Dans le bureau du patron, plusieurs photos de pionniers et de héros de l'aviation décorent les murs, certains clichés très célèbres comme ceux de Jean Mermoz ou de Saint-Exupéry, d'autres plus rares, telle cette photo pastellée de Nungesser et Coli posant devant leur *Oiseau blanc* avant d'y embarquer – ce coucou, oui, où ils perdraient bientôt la vie.

« Vous vouliez me voir, mon petit, ou c'est seulement pour admirer mes photos ?

— J'ai un pépin, Général.

— C'est la santé qui ne va pas ?

— En un sens, oui. Oui et non. Je ne suis pas malade. J'attends… j'attends ce que les autres appellent un heureux événement ». Elle baisse les yeux : « Une catastrophe.

— Ah çà, oui ! Pour un pépin, c'en est un. Un gros, même.

— J'ai tellement honte. Une abjection, voilà ce que je suis. Je ne vaux pas le prix de la corde pour me pendre.

— Holà ! holà ! Tout doux, mon petit. Ce sont des choses qui arrivent aux meilleures personnes.

— Ma mère ne le voit pas de cet œil. Elle m'a fichue à la porte dès qu'elle l'a su. C'est pour ça que j'ai dû solliciter une avance, le mois dernier. Il fallait payer la caution de ma mansarde, le premier loyer, un lit, une table, un réchaud…

— Épargnez-moi l'électroménager, je peux imaginer. Et vous allez le garder ? Couillon que je suis, bien sûr que vous allez le garder. Sinon vous n'en parleriez pas. »

Il fait une tête de clown, joues gonflées, sourcils en accent circonflexe, roule des yeux comme un acteur de muet : « D'ailleurs, jolie mademoiselle, pourquoi m'en parlez-vous ? »

Elle rit, soulagée, son front s'éclaircit : « Pourquoi ? Parce que je vais changer, Général, et que ça va se voir très vite.

Au rythme auquel je grossis, je serai bientôt une baleine plus capable d'arquer, un tonneau qu'il faudra rouler jusqu'à son bureau. »

Chanel retrouve son sérieux : « J'ai deux filles comme vous, en âge d'être mariées. Et comme votre maman, je vois d'un mauvais œil les gars qui tournent autour. Vauriens ou fils de bonne famille, les garçons n'ont qu'un but en tête et y parviennent souvent – hélas pour les pères ! »

Éliane hoche la tête, pensant *Ça doit être bien d'avoir un père comme lui, ses filles ne connaissent pas leur chance*, mais ne le disant pas. Disant plutôt : « Madame Cordelois dit que vous avez un fils aussi. Vous pouvez comprendre les garçons, non ?

— Ah oui…, mon fils. Celui-là, aucun danger qu'une demoiselle ne me le prenne. Aucun risque.

— Oh ! Vous exagérez, Général. Il est très bel homme, à ce qu'en dit madame Cordelois.

— Qui ferait mieux de se taire, parfois. »

À l'expression désespérée du général, Éliane imagine à son tour un grave souci de santé, une infirmité secrète, une maladie honteuse, qui sait ?, condamnant le fils Chanel à une existence solitaire.

« J'ai été indiscrète. Pardonnez-moi.

— Voyons, mon petit, ne tirez pas cette tête d'enterrement. Mon fils se porte comme un charme. Ne cherchez pas à comprendre. »

Elle attendait un signe.

« Vous pouvez disposer, jeune fille. Vous aurez tous les congés nécessaires pour vos visites médicales et… pour je ne sais quoi. L'armée ne lâche personne. Personne, sachez-le. »

Le général eut la délicatesse de ne pas l'interroger sur le père de son enfant ; en retour, elle ne dit rien de la fuite d'André. Faute de pouvoir cacher les transformations de son corps, cacher son infortune au moins. Quoi ! Des histoires comme ça arrivaient à des milliers de filles chaque jour, on le lui répétait à l'envi. C'était si humiliant de banalité. Oui, elle gardait encore un peu d'orgueil pour ces longs jours à venir où il faudrait subir l'opprobre et le sarcasme réservés aux filles mères qu'un beau salaud a quittées.

. . . .

Ces hommes ! rouspétait Colette Cordelois, mais il y avait plus de langueur dans sa voix que de réelle condamnation.

Fatna, elle, son mari avait disparu d'un coup. Un matin comme tous les autres, elle attendait son retour de l'usine, veillant à ce que la collation reste chaude, veillant le cadran de l'horloge aussi. Trois quarts d'heure passèrent, puis une heure entière : la grande aiguille marquait d'un craquement chaque minute nouvelle, tel un nouveau clou qu'on enfonce dans la chair. (*Encore un qui a omis de rentrer*, persifla Colette à cet endroit du récit d'Éliane, ayant deviné dès les premiers mots, dès qu'elle vit la mine accablée de sa jeune collègue. Oui, elle s'y connaissait en défaillances masculines.)

Fatna pensa à un accident. Une machine avait écrasé son mari, une cuve l'avait englouti, ou bien il s'était électrocuté comme ça arrivait souvent avec la fatigue… Quand les aiguilles eurent entamé leur troisième heure de supplice, Fatna descendit téléphoner au café. Toute la journée elle appela l'usine, demandant à parler à un collègue, à un contremaître, au patron lui-même. L'angoisse la faisait parler plus fort, d'une voix suraiguë ; elle lui faisait aussi perdre son français – et on lui raccrocha au nez une dizaine de fois en la traitant de timbrée ou de soûlarde. Enfin, une employée du service du personnel l'écouta et prit le temps de se renseigner : le mari de Fatna avait donné sa démission deux jours plus tôt. Il était venu chercher son solde de salaire le matin même, après son dernier service. *Non, madame, il n'a rien dit. Pourquoi nous aurait-il laissé une adresse ?* Fatna implorait. Au bout du fil, l'employée hésitait : « Nous avons plusieurs messieurs Belkacem chez nous. Êtes-vous bien certaine du prénom Yacine ? C'est étrange. Son dossier indique qu'il est célibataire. »

Rentrée chez elle, elle nourrit les enfants, les coucha, puis, réalisant que le lendemain était le jour du loyer, elle chercha le livret de caisse d'épargne où Yacine déposait l'argent de sa paie. Il n'était pas dans le tiroir habituel. N'était dans aucun tiroir, à vrai dire. Non, il n'avait pas glissé derrière la commode. Elle souleva le matelas du lit conjugal, rien. Elle retourna alors les matelas des lits superposés et les enfants se mirent à pleurer, à hurler au spectacle de leur mère devenue comme folle, une possédée aux yeux exorbités.

Elle eut peu de temps pour pleurer sur son sort, commença à faire des heures de ménage chez la dame seule du cinquième, puis se fit embaucher à la plonge au café-restaurant d'en bas : c'est là qu'elle allait accoucher, un midi, cramponnée à un évier, entre deux piles de vaisselle sale.

. . . .

C'était arrivé sans prévenir et bien malgré elle. Elle s'était mise à regarder les femmes enceintes dans le métro, dans l'autobus, par les rues. Elle jaugeait leur poids, estimait leur fatigue, examinait leur teint. Qui aurait envie de ressembler à ça ? Un soir, elle prit une limonade dans un café de l'avenue d'Orléans qui offrait une vue imprenable sur le magasin Prénatal, juste en face. *Tu débloques*, se dit-elle, *arrête ce jeu tout de suite ou tu es fichue.* Elles n'étaient pas toutes moches, ces robes de grossesse, il y en avait d'élégantes et de modernes, qu'on porterait même sans... Elle regardait les landaus aussi, cherchant à quoi elle ressemblerait derrière un attelage bleu marine à roues blanches, elle regardait les poussettes, leurs ombrelles et leurs couvertures festonnées. Non, elle ne se voyait pas pousser de tels engins – et comment fait-on dans les escaliers du métro, comment monter dans le bus, toute seule comme elle l'était et le serait, comment convaincre un taxi de nuit de vous charger avec votre attirail ?... *Un taxi, la nuit ? Cette bonne blague.* Comme si elle allait pouvoir continuer sa vie de jeune fille, aller au cabaret, au théâtre, au cinéma de minuit ! *Non, vraiment, ma fille, chasse-toi ces lubies de la tête.*

Il y eut cet autre soir où, sortant du métro, elle tomba sur le carrousel de la porte d'Orléans. Il s'installait là chaque automne et jusqu'au printemps. Le forain avait un ceinturon de lutteur, des poignets de force, sa grosse voix roulait les *r* comme un moujik. Les enfants le craignaient autant qu'ils l'admiraient ; les jeunes mères riaient de concert en voyant leur progéniture se hisser qui sur sa licorne, qui sur sa girafe, pour tenter de décrocher la queue du singe ou du Mickey. Dominant les criaillements et les pleurs nerveux d'un garçonnet, le crincrin du manège jouait faux une espèce de valse viennoise quand, soudain, passant une main sur ses joues, Éliane réalisa qu'elle chialait elle aussi. *Cette fois*, se dit-elle, *tu es vraiment foutue.*

Elle ne dîna pas et se coucha, frissonnante, avec une sensation de fièvre. Deux heures plus tard, elle sursautait et se réveillait en nage – en nage et la gorge nouée. Elle chercha à se rappeler son rêve avant que la lumière revenue n'en effaçât les images et le son. Mais les détails déjà lui échappaient, les dialogues et les motifs. En moins d'une minute, le scénario fut réduit à une peau de chagrin, un peu comme ces pellicules photosensibles que la moindre lueur décolore.

Ceci lui resta : une femme brune portant diadème de cristal et robe brodée de pierreries proposait à Éliane un marché inique – son enfant à naître contre la libération du père de celui-ci, incarcéré dans une haute tour aux confins du royaume. Éliane refusait : « Mais qui êtes-vous ? Que vous ai-je fait de mal ? Pourquoi me voler mon enfant ? » La femme éclatait de rire, hoquetant si fort que son diadème se décrochait et laissait voir sa drôle de chevelure courte, des poils plutôt que des cheveux, denses et bouclés comme la toison de ces agneaux noirs des steppes ouzbèkes et des hauts plateaux mongols : « Tu oses me défier ? Mort ou vif, je te prendrai ce bâtard que tu portes en ton sein. Et je détruirai le prince son père. »

Et ceci, encore : la femme astrakan serrait à deux mains un long couteau de chasseur qu'elle brandissait au-dessus du ventre rond. Éliane s'était réveillée de justesse, à ce millième de seconde où la pointe du coutelas entamait son nombril. Il s'en était fallu de si peu, un millième de seconde, qu'elle ne fût éventrée, son enfant arraché.

Un médecin de banlieue

Ses talons cliquent et claquent sur le trottoir du vieux Bagneux, elle aime ce bruit qui est sa signature, son marqueur unique. Chaque fille, chaque femme a sa propre signature quand elle marche si haut sur des talons sonores, et aucune oreille attentive ne s'y trompe. André disait ça. Lorsqu'il l'attendait dans la mansarde, il reconnaissait son pas dès les premières marches ; dès le premier étage, il savait que c'était elle dans l'escalier et pas la jeune femme du quatrième ou Fatna, leur voisine du sixième.

Elle peut tout faire sur ses talons aiguilles, marcher plus vite que bien des hommes, et même danser et même courir. Sur les vieux pavés de la rue de Paris, elle va prudemment, l'œil en alerte traquant au sol le pavé disjoint où le talon se prendrait, qui la ferait trébucher ou pire : qui casserait le bel escarpin.

Le pavillon en meulière paraît perdu au milieu des grues, des baraques de chantier et des bulldozers. Sur les anciens jardins maraîchers, on construit les cités du monde de demain, les barres et les tours à loyer modéré qui enserreront la maison du docteur telle une verrue à brûler. La plaque en laiton du portail n'a pas vu un chiffon depuis longtemps, c'est à peine si l'on peut lire le nom de Lucien Meyer, *Médecin généraliste, Sans rendez-vous*, les horaires de consultation et le numéro de téléphone.

On l'appelle le médecin des pauvres, le toubib des chats crevés – et c'est vrai qu'il adopte chiens et chats trouvés dans la rue, errants et faméliques, comme il est vrai aussi qu'il ne fait pas payer tout le monde, que son frigo contient assez de pharmacie pour dépanner les patients dans la gêne qui ne pourraient pas s'offrir les médicaments et les vaccins nécessaires.

Il fait si chaud. Un ventilateur a beau tourner au plafond du cabinet, l'air brassé reste tiède et ne parvient pas à sécher la sueur au front du docteur vêtu d'un simple tricot de peau, bras nu comme un docker pansu. De son pantalon tenu par des bretelles, il extrait un mouchoir à carreaux et s'éponge les aisselles.

« Ça fait un bail, dit-il. Où étais-tu passée ? Excuse-moi de te recevoir dans cette tenue, mais je ne pensais plus voir de patient.

— Pardon de venir si tard, mon bon docteur. »

Il la connaît depuis toujours. Il l'a connue enfant dans les années de guerre, si maigre, anémiée et toujours malade, ses grands yeux noirs fiévreux soulignés de cernes violets et profonds. Il l'a connue accablée de chagrin, le jour où elle a compris que son père ne rentrerait pas avec les autres prisonniers de guerre et pour cause : il était mort au combat, brûlé vif dans la tourelle de son char qu'un obus allemand avait fait exploser. Six ans plus tôt, en juin 40, la veille de la signature de l'armistice. Vingt heures avant, oui. Ce qui s'appelle manquer de chance. Et personne n'avait osé le dire à la fillette car il était entendu que le jeune père et sa fille étaient fous l'un de l'autre.

Il l'a connue en colère contre le monde entier du mensonge qu'on lui avait fait, de l'humiliation que ç'avait été, dans la cour d'école, quand elle racontait à toutes que son petit papa n'aimait qu'elle et rentrerait, pour sûr, et les fillettes ses camarades se détournaient d'elle avec un mépris hautain, *Pauvre Éliane qui ne comprend rien à rien, ça fait des mois que les derniers prisonniers sont rentrés, elle est maboule ou quoi ?*

. . . .

La jeune veuve, Albertine, tordant son mouchoir entre ses doigts : « Je ne peux quand même pas lui dire que son père est mort en hurlant dans les flammes. Elle a assez d'imagination comme ça, croyez-moi. » Le docteur avait suggéré d'éviter les détails. Et la veuve secouait la tête : « Vous ne comprenez pas, docteur, elle me fait peur… Si je dis ne serait-ce qu'un début de la vérité, elle n'aura de cesse de m'avoir fait cracher jusqu'au moindre détail… Et elle ne mangera plus du tout, ne dormira plus, ne pourra plus rester dans la même pièce que moi. Elle me déteste. Elle croit son père prisonnier et elle me déteste de ne pas pouvoir le libérer. Si elle apprend que son père est mort, elle croira que c'est moi qui l'ai tué. »

Oui, le beau Gaston et sa gamine s'adoraient d'une passion exclusive où la jeune mère n'avait pas sa place.

Mais il y avait pire encore, cette ressemblance inouïe entre eux. Meyer, qui avait fait naître Gaston et l'avait suivi les vingt-quatre années que sa vie dura, pouvait en témoigner : la fillette était comme un décalque de son père enfant, leurs visages se superposaient à l'identique – si ce n'est qu'Éliane avait les yeux noirs et Gaston les avait verts, d'un vert franc, éblouissant, qui vous faisait baisser les yeux de confusion, disaient les commères de Bagneux. C'était comme si Albertine n'avait pris aucune part dans la procréation de l'enfant, comme si Gaston s'était reproduit seul en une mystérieuse parthénogénèse – à moins qu'il ne se fût agi de déformation professionnelle pour ce garçon qui vivait parmi les fleurs et les essences du parc Montsouris, où il exerçait le beau métier de jardinier de la ville de Paris. *C'est à force de contempler toute cette verdure qu'il lui est venu ce vert aux yeux,* disaient encore les commères de Bagneux. *Et à force de surveiller le manège des abeilles qu'il en est venu à butiner au lit de toutes les femmes qui passaient là – le cavaleur,* feignaient-elles de s'indigner.

Rien, il n'y avait strictement rien qui pût relier physiquement Éliane à sa mère. Pas un trait, nul détail dans la silhouette, pas une fossette, pas même une couleur de cheveux. Longiligne et maigre, Albertine avait les cheveux châtain clair, un joli teint rosé et l'œil gris-bleu. En grandissant, Éliane avait pris des formes manifestes, une taille de guêpe, des hanches épanouies et des jambes galbées tandis que sa mère, après la naissance de sa seconde fille, avait continué de fondre, de s'étrécir, de plus en plus sèche, sans poitrine, ni taille ni hanches, sans mollets non plus, réduite à l'os comme pour se punir d'avoir été de chair.

. . . .

Dans le couloir mal éclairé, Éliane réprime un sursaut : ça sent la poussière et autre chose encore qui flotte, de pas agréable du tout, des relents de tambouille exhalés de la cuisine qu'on devine derrière le verre cathédrale d'une porte. *Notre vieux Meyer se nourrit comme les célibataires et les veufs*, songe-t-elle, *de choses lourdes qui sentent mauvais, des abats, des choux, du beurre rance.*

Meyer : « Et as-tu une idée de la date ? »

Elle : « Oh ! ça, c'est pas compliqué puisque ça n'a eu lieu qu'une fois, une seule et unique fois… » Elle soupire, gratte du bout de son ongle nacré une tache invisible sur sa jupe : « Quelle gourde. Quelle cruche je suis. C'était le 15 août. Un beau week-end. La nuit du 15 au 16, pour être précise. »

Meyer, comptant très vite sur ses doigts : « Tu accoucheras donc à la mi-mai, dans ces eaux-là. Tu aurais pu te renseigner sur la méthode Ogino, jeune fille. C'est de ton âge. »

Elle : « Pour me renseigner, il aurait d'abord fallu que j'aie une idée en tête, que je prémédite ce que j'ai fait. Je n'ai rien prémédité, rien manigancé comme ses parents à lui le croient. »

Meyer : « Comment ça ? Tu as vingt ans, un flirt t'emmène à moto pour un week-end en bord de mer, et tu ne penses à rien ? Tu n'imagines pas qu'il a, lui, une idée en tête ? »

Elle : « Non, je ne pensais pas ça. Nous allions chez son patron, sa sœur était là aussi pour le week-end. C'étaient des adultes et je pensais qu'ils veilleraient sur nous. »

Le médecin soupire, fait claquer ses bretelles sur son gros ventre et rit : « Comment peut-on être aussi mûre d'un côté, et aussi naïve de l'autre ? Je ne vous comprends pas, vous, les jeunes. Vous jouez les affranchis, mais vous êtes plus ingénus que des agneaux nouveau-nés. »

Il fallait bien que la question tombe. Meyer l'attendait mais ce ne fut pas une question, plutôt une plainte anxieuse.

« Il y a ma sœur Myriam… ça me soucie… je n'en dors pas. »

Meyer : « Ne t'ai-je pas déjà tout expliqué, à sa naissance ? Son handicap est congénital. Quelque chose s'est mal passé pendant la grossesse, pas à la conception. À la conception, tout allait bien. Rien n'est inscrit dans ton sang, rien n'est gravé dans tes chromosomes. Il n'y a aucune raison scientifique à ce que ça se reproduise pour tes enfants. »

Elle, d'une petite voix : « Oui, je crois que je comprends… Mais je me dis… Si nous étions prédisposés dans la famille à avoir de ces accidents ? Si nous étions déficients en quelque chose et que la science actuelle ne le sache pas encore ? »

Meyer : « Tu ne lâches rien, hein ? Tu veux ta réponse, celle qui te semblera juste, et tu n'auras de cesse que je te l'aie donnée. »

Elle regarda le vieux docteur, feignit l'innocence.

« Dommage que tu aies arrêté si tôt les études. Dommage que ta mère ne soit pas allée à la mairie demander de l'aide.

— Mais non, docteur, c'est moi qui en avais marre de l'école ; moi toute seule qui ai décidé d'arrêter.

— Va raconter ça à d'autres, jeune fille. Tout le quartier sait comment tu as été punie, comme tu t'es sacrifiée pour ta petite sœur.

— Mais non, je ne me sacrifie pas. Je l'aime, cette gosse, elle me fait tant de peine.

— Tu confonds amour et commisération.

— Oui, elle me fait pitié aussi, et, si je la regarde trop longtemps, je ne peux m'empêcher de pleurer. De penser à tout ce qu'elle n'aura pas. À sa vie privée de tout. Elle est si câline, parfois ; d'autres fois si violente… Comment ne pas souffrir pour elle ? Je ne veux pas d'un enfant qui fasse pitié. Je ne veux pas d'un enfant qui mendiera l'amour. Je ne veux pas d'un enfant dont la seule vue fasse souffrir ou se moquer.

— Ça suffit, jeune fille. Ici s'arrête ton renoncement. Ici s'arrêtent les mensonges. La réponse à ta question, je ne l'ai pas. Je ne peux pas te dire de façon sûre et certaine que ton enfant sera parfait. Mais je peux parler en termes de probabilités et te jurer qu'il a 999 chances sur 1 000 de se porter comme un charme. Ça te va ? »

Elle hocha la tête : « Oui, ça va mieux. Merci, mon bon docteur. »

Il la raccompagna dans le couloir sombre (*Oui,* se dit Éliane en repassant devant la cuisine, *c'est du chou, du cochon gras, de la choucroute*), il ouvrit les bras pour l'embrasser mais Éliane, à la vue des aisselles du vieil homme, de sa bedaine sous le marcel, serra son sac à main contre son ventre, bredouilla : « Au revoir, mon bon Meyer », et sortit à reculons.

*

Dans les récits qu'Éliane en fit à travers le temps, il existait une autre version de la visite au vieux médecin de son enfance, une version complétée, pourrait-on dire, ou peut-être simplement différente :

Lucien Meyer aurait perdu patience. Croisant ses bras nus sur son estomac, il aurait ordonné : « Regarde-moi. Ne t'ai-je pas dit, il y a longtemps déjà, que l'affection de Myriam était accidentelle et non héréditaire ? Tu es trop intelligente pour ne pas avoir saisi la différence.

— Je voulais que vous me l'expliquiez encore.

— Ah oui ? Regarde-moi, aurait-il répété. Cela fait des années que tu vas voir ailleurs, chez je ne sais quels confrères, des plus jeunes, sans doute, des toubibs de Paris... Et tu reviens me consulter pour me parler de ta sœur ? Tu ne chercherais pas à me dire autre chose ? Ce n'est pas autre chose que tu veux me demander ? Tu ne chercherais pas, par hasard, une bonne raison de le faire passer ? Et tu t'es dit : ce bon gros Meyer va m'aider, lui. Je me trompe ?

— J'y ai pensé, c'est vrai, mais...

— Mais tu n'as pas envie d'aller te faire charcuter chez la vieille aux chats. »

À l'évocation de la matrone du quartier, cette vieille à longs jupons qui croupit dans l'urine (c'est-à-dire : la sienne et celle de ses cinquante chats, dont la puanteur s'épand sur tout le voisinage sans que quiconque ose appeler les services sanitaires car la vieille a la malédiction facile et chaque menace qu'on lui adresse est bénie en retour d'un crachat et d'un sort), à l'évocation de la sorcière, donc, Éliane a frémi et Meyer sait qu'il a vu juste.

« C'est non, sache-le. Je ne fais pas ces choses, je n'en ai pas le droit et je ne le pourrais pas, de toute façon, sans te mettre en danger. Je ne te juge pas. Si tu le fais, il faut le faire bien, dans une clinique propre, pas dans une arrière-cour. »

Éliane secoue sa tête brune pour dire non. Son visage hâlé a la couleur du pain d'épices.

« Tu es si jeune, toi-même une enfant.

— Au départ, j'avais peur et j'avais honte. Mais maintenant, je sais. Je vais le garder. J'ai envie de le garder, juré. Seulement, mettez-vous à ma place rien qu'une seconde : je veux bien être toute seule, je veux bien être dévisagée dans la rue comme une moins-que-rien, je veux bien qu'on me tonde pendant qu'on y est, mais je ne veux pas élever seule une enfant tarée. Je ne veux pas d'une fille comme ma sœur.

— Qui te dit que ce sera une fille ?

— Les bonnes femmes le disent. Quand on porte haut, c'est une fille.

— Alors, si ces dames averties le disent, je m'incline. »

Elle balbutie, ses mains tremblent comme feuilles au vent : « Si ça devait arriver, je ne pourrais pas. Non, je crois que j'en serais incapable. Je préférerais... J'aimerais mieux l'abandonner. Voilà. »

Le vieux médecin plissa les yeux comme pour mieux y voir dans l'esprit confus de sa patiente.

« Ça n'arrivera pas, je persiste et signe. Mais si ça devait arriver, alors je t'aiderais pour les formalités d'abandon. »

Il avait proféré ces derniers mots d'un ton si neutre, si indifférent qu'Éliane écarquilla ses yeux noirs où le rimmel avait coulé. Elle interrogeait le visage clos de Meyer, cette face familière devenue soudain inhumaine, mais rien ne s'y lisait. Puis elle vit le miroir que lui tendait l'impassible bouddha, elle y reconnut son reflet et sa propre froideur. Enfin, Meyer sortit de son mutisme, se hissa tant bien que mal de son fauteuil et, se penchant sur elle, il lui pinça la joue.

« Mais dis-moi, jeune fille : il est où, le père ? »

Cette fois, elle s'effondra. De longues minutes, le médecin la laissa pleurer, une main posée sur son épaule.

« Rentre chez toi. Tiens, prends ces deux flacons. Quatre gouttes chaque soir dans un verre d'eau, et tu dormiras mieux. Ah ! Ne fais pas ces yeux en boules de loto. Si je te donne ces gouttes, c'est qu'elles sont sans risque pour ton bébé. »

Tandis que Meyer la reconduisait à la porte, la patiente huma à pleines narines la fumée qui fusait de la cuisine. « Je ne voudrais pas dire, mon bon docteur, mais votre dîner est en train de cramer. » Elle ferma les yeux et il l'embrassa sur le front, ainsi qu'il le faisait depuis vingt ans.

. . . .

Non, elle ne lâche pas. Les réponses à ses questions, si le savoir et la raison ne peuvent y satisfaire, elle ira les chercher ailleurs, obstinée, obsessionnelle, infatigable. Elle s'en remettra à cette atavique connaissance du monde par les signes, ira comme depuis la nuit des temps interroger le vol des oiseaux dans le ciel, les entrailles d'un agneau sacrifié, une poignée de cauris sur le sable, elle ira voir le marabout, la pythonisse, le chamane ou, plus proche, la voyante recommandée par Colette Cordelois.

Devant la résistance d'Éliane, l'aînée s'est montrée pragmatique : « N'aie pas honte. Il n'y a aucune honte à recourir à *ça*. Des tas de gens très bien le font, des hommes politiques, des artistes, des vedettes. Et puis, qu'as-tu à y perdre ? Si les prévisions sont justes, tu n'auras qu'à t'en féliciter. Si elles sont fausses, tu pourras en rire et dire : Je savais que tout ça, c'était des conneries, des sornettes de bonne femme. »

La psychiste reçoit chez elle, dans un appartement de la rue de l'Université baigné de lumière et meublé avec un goût bourgeois fort éloigné du bazar oriental, rococo et sombre, qu'Éliane imaginait. Ni verroteries ni boule de cristal, ni fanfreluches ni châles lamés, rien de ce décor de roulotte, de bohème bordélique qu'on prête aux diseuses de bonne aventure. La dame prend place à un angle du canapé de velours vert amande et fait asseoir la jeune femme dans la bergère à sa droite. Sur le guéridon entre elles, elle bat quelques cartes qu'elle étale en trois rangées de quatre (ou l'inverse, Éliane ne prête pas attention au cérémonial, songeant à fuir au plus vite), elle retourne les lames du tarot, hoche la tête, l'air perplexe. « Hum… », fait-elle entre ses dents, puis elle relève les yeux sur sa cliente et sourit : « Les cartes ne me disent rien de compréhensible. Je ne crois pas aux cartes. » Éliane sourit à son tour, plus légère soudain. *Cette bonne blague*. La psychiste poursuit : « Je le fais pour rassurer mes visiteurs car si on ne leur tire pas les cartes, ils pensent qu'on est un charlatan. C'est comme un placebo, ça ne sert à rien mais ils en ont besoin. Donnez-moi votre main, si le contact ne vous gêne pas. » Éliane tend sa main gauche. « Maintenant, taisons-nous. » La voyante garde les yeux mi-clos une minute ou deux ; ses paupières se mettent à cligner, lentement d'abord, puis convulsivement, sa main broie celle de la cliente un temps qui lui paraît interminable. La voyante rouvre les yeux. Son visage est radieux, sa voix douce et pure, comme lavée.

« Vous attendez un bébé et vous êtes dévorée d'angoisse, non ?... Ça se passera bien. Ne vous inquiétez pas. »

Éliane sourit et se sent bête. La dame fronce les sourcils, ses yeux clignotent encore quelques secondes.

« Quoi ? Qu'est-ce qu'il y a ? C'est son visage ? Sa bouche ?

— Son visage est parfait.

— Alors ce sont ses jambes ? Ses hanches ? Ses hanches sont malformées ?

— Ses hanches vont bien. C'est un beau bébé, en pleine santé.

— Alors, c'est son cerveau ? Son cerveau n'est pas achevé ? Son cerveau ne va pas grandir ?

— Mais non, voyons. Le petit cerveau va bien, tout ce qu'il y a de bien.

— Ses yeux... Comment sont ses yeux ? Endormis ? Mornes ? Éteints ?

— Ses yeux sont clairs, brillants et curieux de tout. Ah non !... »

Maudites paupières, qui se remettent à cligner, affolées.

« Qu'est-ce qui se passe ?

— Curieux, oui, et très vif. Il convoite quelque chose de

l'autre côté de la rue. Il faut faire attention… attention à cette rue en bas de chez vous. Mais non, ce n'est pas une rue, c'est immense, une avenue, un carrefour. De l'autre côté du carrefour, il y a cette pompe à essence, non ? »

Souffle coupé, Éliane balbutie : « La station-service, oui, de l'autre côté du boulevard…

— Dans les vitrines de la station-service, je vois plusieurs rangées d'autos miniatures. Votre enfant veut découvrir le nouvel arrivage, il vous lâche la main pour traverser, il s'élance… Vous rattrapez sa main… Pour cette fois ça ira. Cette fois, pas d'accident. Mais il faudra lui apprendre très tôt le danger, et comment traverser. Les garçons, ça les aimante, ces modèles réduits. C'est plus fort qu'eux, vous comprenez ? »

La cliente soupire, soulagée : « Pas de soucis, alors. J'attends une fille. » À celle qui est censée tout voir et tout deviner, même à travers les chairs, elle explique : « Je le sais, je le sens.

— Une fille ?… C'est vrai, je vois des cheveux longs, de beaux cheveux roux, longs et bouclés. Eh bien ! Ce sera une fillette qui aime les jeux de garçons. Un garçon manqué, quoi.

— Tout comme moi, petite.

— On ne dirait pas à vous voir aujourd'hui.

— Je n'avais peur de rien, je défiais les garçons à la course, je les battais à vélo. » Elle secoue la tête, dépitée. « Ça a bien changé, oui. Maintenant, j'ai peur de presque tout. »

La dame charmante raccompagne Éliane à la porte et lui serre longuement les mains entre les siennes.

« Dites…

— Oui ?

— Vous travaillez en usine ?

— Non, dans un bureau.

— Tant mieux, tant mieux. Quelqu'un dans votre entourage a un problème à une main ? Un ouvrier blessé par une machine, ce serait possible ?

— Mais non ! Ah… quelqu'un va perdre une main, c'est ça que vous voyez ? »

D'un brusque recul, elle libère ses mains de l'étreinte sinistre.

« Non, je ne vois rien de particulier. C'est juste une interférence. Parfois, des images se télescopent, qui n'ont rien à voir entre elles. Soyez tranquille, et bonne grossesse. »

Dans le bel ascenseur elle peste, *Merci, Cordelois, merci pour la bonne adresse*, si pressée de fuir la cabine qu'elle se pince deux doigts entre les croisillons de la porte. Elle songe aux ouvriers de la maison noire, à la tante Marthe penchée tout le jour sur les rouleaux d'une redoutable presse, à l'oncle Henry sur sa machine-outil non moins dangereuse. Lorsqu'elle les reverra, elle leur dira combien elle les aime et qu'il leur faut redoubler de prudence.

Elle ne s'est jamais appesantie sur la détresse de ces mois-là où elle fut totalement seule dans la mansarde et, s'il lui arriva d'évoquer ses idées de suicide, c'était pour mieux en rire et s'empresser de corriger : Je n'ai jamais voulu mourir, jamais.

L'angoisse, le chagrin, les nuits blanches passées à taper sur sa machine, telle une damnée, les thèses d'étudiants en médecine auxquelles elle n'entendait rien – se consolant dans son malheur qu'aucun des carabins n'eût choisi pour spécialité obstétrique ou gynéco –, les mémoires d'étudiants en philosophie qui lui rappelaient durement qu'elle aurait aimé en faire, de la philo, elle en avait rêvé avant de devoir quitter l'école en classe de première pour prendre un travail et apporter une deuxième paye à la maison – de tout cela, elle faisait silence.

Plutôt que de se plaindre, elle préférait me raconter les trucs de femme enceinte qui la faisaient rire après coup, comme cette fringale soudaine qu'elle éprouva pour le fromage de chèvre – une envie qui, matin et soir, la poussait à descendre de son bus à l'arrêt de la place d'Alésia et à faire un saut à la fromagerie Boursault (je la cite car la vieille enseigne existe toujours) où elle achetait un crottin de Chavignol le matin, deux rocamadours le soir. À peine montée dans le bus suivant, elle ôtait ses gants et croquait à pleines dents les petits fromages qu'elle engloutissait tout ronds, avec un tel plaisir que souvent les passagers riaient à la voir.

Évoquer sa détresse, y insister, c'eût été me demander de juger mon père – et c'était hors de question. Ce n'était pas la faute du très jeune homme, mais celle de ses parents, plus exactement c'était la faute de sa mère la bouchère et de sa sœur comploteuse. André demeurait cet enfant innocent que la loi même confirmait : un mineur irresponsable, incapable de décider de son propre avenir. On ne condamne pas un irresponsable.

J'ai bien connu cette machine à écrire de marque Erika, une machine datant des années vingt, noire, aux touches cerclées de chrome. Achetée d'occasion faute de pouvoir s'en payer une neuve à crédit. Elle se grippait toutes les trois lignes. Le clavier était si dur, les touches bloquaient, les barres à caractères s'enchevêtraient et s'emmêlaient si souvent qu'il fallait des nerfs à toute épreuve pour ne pas la jeter par la fenêtre. Au bout d'une heure, les mains commençaient à souffrir, puis c'était les articulations qui s'enflammaient. Une à une, les phalanges lâchaient. Je ne sais pas comment Éliane pouvait tenir des nuits entières. J'ignore comment elle faisait pour ne jamais y laisser un ongle. Oui, j'ai bien connu cette machine – c'est sur elle que j'ai fait mes gammes, adolescent, sur elle que j'ai écrit mes premiers textes.

Le photographe

C'est le soir, un beau soir d'automne : le soleil s'attarde, caressant, sur les épaules et les jambes nues des filles qu'il dore encore un peu avant l'hiver. Comme chaque soir qu'il fait beau, elle est installée à une terrasse – aujourd'hui, celle du Gymnase, boulevard Raspail – devant un café frappé qu'elle sirote à toutes petites gorgées, pour faire durer. Une rangée derrière elle, un peu à sa gauche, il y a ce type qui l'observe à la dérobée, elle sent ses regards papillonner de son profil à ses genoux puis se fixer sur le guéridon, comme s'il cherchait à identifier ce magazine qu'elle n'a pas encore ouvert. La trentaine, peut-être plus, il a les cheveux longs dans le cou comme les mauvais garçons, le teint brouillé par une barbe de plusieurs jours.

« Je peux ? » demande-t-il, mais avant qu'elle ait répondu il a déjà saisi une chaise en rotin et s'est assis à sa table, face à elle. *Manque pas de culot, celui-là.* Elle grimace, une main en visière sur les yeux elle cherche au-delà du bonhomme l'horizon obturé. « Oh ! pardon, je vous ai caché le soleil. Je me pousse. »

Il porte une chemise blanche ouverte sur trois boutons

(*Comment peut-on se dépoitrailler ainsi, en ville, en public ?* s'indigne Éliane en secret avant de répondre à un contradicteur imaginaire *Parce qu'on est bien fait de sa personne, on devrait l'afficher ainsi ? On pourrait l'imposer aux autres ?*), il arbore aussi trois épaisses chevalières en argent gravé (« Des bagues de chefs berbères », dira-t-il plus tard, solennel) et une grosse montre compliquée, qui semble avoir coûté cher. Un peintre, un artiste comme il en traîne partout dans le quartier ? Un photographe. Pas un larbin pour mariages et communions, non, un photographe de mode et de publicité, un peu artiste quand même.

« Je voudrais photographier vos mains. Je peux ? »

Des nombreuses poches de sa veste saharienne, il sort trois pièces noires – un cube, un cylindre, un parallélépipède – qu'il assemble en quelques secondes pour former un appareil photo. Il vise les mains d'Éliane. L'ampoule du flash grille une fois, puis une deuxième.

« Non, ne changez rien. Restez comme vous étiez. Laissez vos mains posées sur la table, sans les raidir, sans vous crisper. Voilà. »

Il fait le ménage sur le marbre du guéridon, écarte son paquet de cigarettes et leurs deux verres. Les clients du Gymnase les regardent. Laisser un inconnu prendre vos mains en photo, est-ce indécent ? Est-ce impudique ? *Mes mains n'ont rien d'obscène, que je sache, et cet homme concentré sur son travail a tout l'air d'un type réglo. Se méfier des apparences, cela vaut dans les deux sens, non ?*

« Vos mains ne sont pas belles, elles sont exceptionnelles. Comment pouvez-vous les abîmer sur une machine ?

Vous n'êtes pas dactylo, mademoiselle. Vous valez mieux. Je ferai de vous le mannequin mains du moment. »

Prends garde au discours des hommes, disait la mère. Avec leur beau discours, ils vous embobinent et vous font perdre tout jugement.

Les sommes que fait miroiter le photographe sont ahurissantes. Une seule séance de pose, une demi-journée tout au plus, serait mieux payée qu'un mois complet au service du général. Si elle signe un contrat d'exclusivité, son salaire annuel sera de dix fois supérieur à ce qu'elle gagne péniblement aujourd'hui. Le photographe insiste, diabolique : dix fois plus, rendez-vous compte, de quoi changer de vie, prendre un joli appartement au cœur de Paris, à Saint-Germain-des-Prés, là où tout se passe, là où l'on joue les films qu'elle aime, là où se produisent ses chanteuses préférées, Barbara, Cora Vaucaire, Gréco.

Sur sa nuque, elle sent peser les regards des clients du Gymnase. On les dévisage, on jase, on imagine allez savoir quelles turpitudes, quelles obscénités. Et si quelqu'un du *93* poussait la porte du bar, la surprenait dans cette curieuse compagnie d'un gitan blond ? Que dirait-on dans les couloirs ? Que dirait le général en l'apprenant d'une bouche fielleuse ? Il se rendrait à l'évidence : fauter une fois peut passer pour de l'innocence ; récidiver, c'est du vice.

« Allons ailleurs », dit-elle, et ils remontent le boulevard jusqu'au bal Bullier où elle ne va jamais, où personne ne la connaît, d'où elle pourra fuir à tout moment – l'arrêt du bus 38 est juste à côté.

Le soir venu, un vent frais s'est levé sur le boulevard où il souffle comme au fond d'un canyon. Éliane frissonne dans son chemisier d'été. Pour dissimuler la rondeur supposée de son ventre (dix fois, vingt fois par jour, elle se rend aux toilettes du secrétariat et se présente de profil au grand miroir qui lui répond que non, cette fois encore rien n'a bougé, son ventre est resté plat), elle porte du flou, du voile, de la mousseline, des tuniques bouffantes ou des blouses vaporeuses, toutes trop légères pour la saison. Le photographe lui frotte les épaules pour les réchauffer.

Dans la rue aussi, on les regarde. Les messieurs en costume se retournent sur lui, et les regards ne sont pas amènes, ça non, regards qui disent *Mais d'où sort ce sauvage ?* Lui, il est sale, disent les yeux des passants, répugnant comme la crapule ; les passantes, elles, plus indulgentes, plus curieuses, semblent se dire qu'avec une bonne coupe de cheveux et un costume léger il serait tout à fait bel homme, grand et bien bâti comme on le devine sous ses vêtements fripés de baroudeur – il serait tout à fait sortable.

« Ça ne vous gêne pas qu'on vous dévisage ainsi ?

— Mais non. D'ailleurs, je crois que c'est vous qu'on reluque, jolie gazelle.

— Ne vous moquez pas.

— Et vous, apprenez à vous moquer du regard des autres. Sinon, vous aurez une vie triste, une vie pas à la hauteur de vos attentes ni de vos capacités. »

Voyant qu'elle grelotte de plus belle, il propose de lui passer sa saharienne. Elle refuse. Il va pour lui brasser le dos – cette fois, elle fait un pas de côté et se dégage.

. . . .

Il était beau, le photographe, autant se l'avouer : elle regrettait qu'il eût refermé deux boutons de sa chemise sous l'effet du froid. Le temps d'un roman express, elle essaya d'imaginer ce qui se serait passé si elle l'avait rencontré avant, quand elle était libre, quand son ventre était vide. Elle aurait pu se serrer contre lui, là, sur le boulevard, il n'y aurait eu aucun mal à cela, il aurait pu passer son bras sur ses épaules et elle se serait pelotonnée au chaud de son aisselle. Il se serait penché sur son visage, elle aurait accueilli son baiser. Dans la broussaille blonde des cheveux, elle aurait enfoui ses doigts. Au bas de la nuque, un fin duvet bouclait, plus sombre ; elle y aurait enfoncé les ongles, doucement.

. . . .

Il faut se méfier des gars qui se disent photographes. Elle l'a lu dans le journal à sensations, Colette Cordelois le prétend aussi, et les rumeurs qui courent les rues. C'est une arme de séduction des plus banales. Il vous dit que vous êtes belle, que vous serez la prochaine Bardot, la Marilyn hexagonale ou, s'agissant d'Éliane la brune (*la noiraude, le pruneau* comme l'a surnommée sa mère), la nouvelle Claudia Cardinale, la future Ava Gardner. Alors vous cédez comme une idiote, une pauvre fille flattée, vous le suivez dans son studio photo et là il vous drogue, il vous viole et vous envoie dans une malle cabine à l'autre bout du monde afin d'y être vendue comme esclave sexuelle d'un sultan ou d'un dictateur.

Bien sûr, le photographe connaît la rumeur. Aussi il porte son studio sur lui, un petit classeur qu'il sort d'une poche de sa saharienne et qui contient une trentaine de ses photos publiées dans les magazines ou sur affiches publicitaires. Éliane reconnaît une photo qu'elle a vue dans le métro. Elle s'en souvient parfaitement car elle s'était dit qu'elle voulait ce vernis à ongles en réclame.

« Vous êtes une fille sage, n'est-ce pas ?

— Je voudrais comprendre : vous ne photographiez que les mains de vos modèles ?

— Oui. Ce n'est pas moi qui vous demanderai de vous déshabiller, si ça peut vous rassurer. »

Éliane hausse les épaules : « Pourquoi me rassurer ?

— Je vous sens un peu mal à l'aise.

— Moi, mal à l'aise ? Je ne suis pas de cette race de petites bonnes femmes peureuses, que croyez-vous ? J'ai été élevée à la dure », ajoute-t-elle, l'air crâne.

Les pages du petit album tournent une à une. Des images de mains, en effet. Des mains à l'infini. Aux carnations différentes, aux ongles peints de diverses couleurs, certaines portant à l'annulaire et au poignet des ruissellements de diamants, rubis, émeraudes et saphirs.

« Vous êtes une fille sage ? » répète-t-il, appuyant sur le dernier mot, le soulignant d'un clin d'œil qui fait rougir Éliane.

Elle détourne le regard, songeant *Que dira-t-il quand je ne pourrai plus cacher mon état ? Pensera-t-il qu'une fille mère est une fille sage ? Sera-t-il aussi joueur et câlin ? Et si mes mains allaient enfler ? Est-ce qu'on grossit des mains aussi ?*

Enfin, le photographe s'arrête sur une page de magazine. L'index impérieux, il pointe la marque de cosmétiques au bas de la page et annonce de sa voix de basse :

« Vous serez la fille Peggy Sage. »

L'élue hésite à comprendre. Lui, jouit de son effet.

« Moi ?... C'est ma marque préférée, Peggy Sage », souffle-t-elle, et elle frappe dans ses mains comme une adolescente.

« On ne verra pas mon visage ? C'est certain ?

— Aucun risque avec une tête si ingrate ! »

Les grands yeux noirs se voilent.

« Eh ! Gazelle, je vous taquinais. Comme vous êtes susceptible. Poser, c'est pas un job pour les gens qui se vexent.

— Qui vous dit que ça m'intéresse ? Ai-je eu l'air de dire oui ? Sérieusement : est-ce qu'on verra mon visage ? Est-ce qu'on pourra le deviner ?

— Non. Seulement l'une de vos mains, je le répète. Dans le métier, on appelle ça le mannequinat de détail.

— Alors ça me va », dit-elle, songeant *La mère n'en saura rien, ne pourra pas m'accuser encore d'être une traînée, une roulure qui désormais vend son corps. Et le général non plus, le général n'en saura rien, ne pourra pas mettre en doute mon honnêteté.*

« La gauche ou la droite, je ne sais pas encore. Je n'ai pas décidé laquelle je préférais. J'ai deux mois pour choisir. » Il lui a pris les mains sur la table et sourit. « Ne faites pas ça. S'il vous plaît. » Elle recule, libère ses mains, les pose hors d'atteinte sur la banquette rouge. « Ne vous méprenez pas. C'était affectueux, rien de plus. » Il clape de la langue, fait tourner ses bagues de caïd à ses phalanges, cherche une diversion qui lui vient finalement du serveur : le bar va fermer.

« Et si on allait manger un morceau en face ? Il n'y a qu'à traverser. »

Intimidée (Colette Cordelois a dit que c'était un lieu très chic, très cher aussi), Éliane tend la nuque et redresse le menton en franchissant le seuil de la Closerie des Lilas. On les place à côté d'un chanteur dont elle connaît tous les succès – un chanteur qui félicite le photographe pour la beauté de sa compagne. Elle cligne des yeux, bredouille : « Ce n'est pas ce que vous croyez », et se sent définitivement gourde.

« Je prendrai une assiette de six huîtres.

— C'est tout ? Vous allez crever de faim. »

Le garçon apporte le pain de seigle et le beurre salé sur lequel Éliane, malgré elle, jette un regard affamé. Le photographe beurre une tranche de pain qu'il lui tend. « Non, merci. » Il la dévisage, elle baisse ses longs cils noirs.

« J'ai l'œil, mademoiselle, c'est mon métier. Je sais reconnaître une fille qui se prive de manger. Vous n'avez pas besoin de maigrir. J'irai même plus loin : je vous l'interdis.

— Quelle importance, mon poids, puisque vous n'allez pas me déshabiller ? » proteste Éliane, si fort que le chanteur et son convive à côté se retiennent de rire.

« Vous ne comprenez pas. Les filles maigres ont de vilaines mains. Quoi de plus atroce que ces mains crevardes où le squelette apparaît, où l'on peut compter en transparence les os et les osselets. Qui en voudrait ? Certainement pas la maison Peggy Sage. Je m'inquiétais de vous savoir dactylo car il n'y a rien de tel pour bousiller les ongles... mais si vos mains se décharnent, alors, ça n'ira plus. »

Elle lui tend ses dix doigts sous le nez : « Constatez vous-même. Pas une ébréchure, pas une cassure. Les lunules sont dégagées, la peau impeccable. » Elle a baissé la voix, approche son visage de l'oreille du photographe : « Dans un mois, dans deux mois, mes mains seront pareilles à aujourd'hui. Croyez-moi.

— D'accord, lâche-t-il, je décide de vous faire confiance. »

Pourvu... pourvu que mes mains ne gonflent pas. La tête lui tourne de sa propre audace et l'angoisse envahit sa poitrine. Elle revoit les doigts boudinés de cette dondon de Paule, les jointures rouges à ses phalanges congestionnées. *Aujourd'hui, aujourd'hui... Mais la séance est si loin... C'est si long, deux mois, qui sait quel monstre je serai devenue ? Pitié, mes mains, ne me trahissez pas.*

Le photographe intercepte son regard et y plante le sien : « J'ai dit quelque chose de mal ? » Elle secoue la tête, se mord la lèvre pour ne pas pleurer. « Je voudrais juste ne pas vous décevoir.

— Me décevoir ? Je ne mens pas quand je vous dis ma confiance. Regardez les coquillages : vos ongles sont comme le dedans des coquillages, comme la nacre au creux des clovisses. Ça, ça ne peut pas me décevoir. »

Elle hausse les épaules, sort de son sac une pochette brodée et, doucement, d'un rebord de dentelle, tamponne les coins de ses yeux où le rimmel aurait pu couler. « Arrêtez vos bobards. Vous perdez votre salive avec moi. On a bien raison de dire que vous êtes tous pareils, peu importe l'âge, la mise ou la coupe de cheveux.

— Tous pareils ?

— Les bonshommes, oui.

— Sans vouloir vous vexer encore, petite gazelle, m'est avis que vous n'y connaissez pas grand-chose, aux hommes.

— Pfff. Puisque vous le dites. D'ailleurs, il est l'heure pour les gazelles de rentrer chez elles. »

Ils se quittent sur le boulevard Saint-Michel. La poignée de mains est solide, le cœur triste moins assuré.

« Arrêtez de faire ça.

— Quoi ?

— De vous mordre la lèvre. C'est un vilain tic.

— Vous préféreriez que je me ronge les ongles ? Quand j'étais petite, je me rongeais les ongles. Jusqu'au sang.

— Quelle horreur. Bouffez-vous la lèvre et les joues tant que vous y êtes. Mais pas touche aux mains. »

Ils rient. Éliane a la tête qui tourne un peu.

« Vous ne me demandez pas mon nom ? Je m'appelle Tony.

— Bonsoir, Tony. Merci, Tony.

— Et comment je fais pour vous joindre ? Je vous appelle où ?... Pas de téléphone ? Donnez-moi votre adresse, alors, que je puisse vous envoyer un télégramme pour notre rendez-vous. »

Son adresse, Éliane ne la donne pas comme ça. Elle griffonne un numéro sur le paquet de cigarettes du photographe. « Appelez-moi là, à mon bureau. Entre midi et midi trente. C'est ma pause déjeuner.

— Ravi d'apprendre qu'il vous arrive de manger. Tenez, prenez ma veste. Vous grelottez.

— Mais vous ?

— J'habite à deux pas. Je survivrai en simple chemise. »

Dans leur dos, un timbre métallique sonne deux coups brefs. Éliane pousse un cri joyeux : « Mon bus ! » Elle court après le 38 qui a redémarré. À l'arrière, le receveur lui tend la main, elle l'attrape à temps et saute sur la plate-forme, souple et légère telle la gazelle, oui. Tony sourit. Elle lui fait signe de la main puis disparaît dans la cabine, au chaud.

Il a oublié son briquet dans la saharienne, un beau briquet en laque de Chine. *On est donc obligés de se revoir*, songe-t-elle, et aussi qu'elle fumerait bien une cigarette à cet instant, comme le font les femmes libres des films, les Moreau, les Cardinale, les Anouk Aimée – sauf qu'elle ne sait pas fumer, elle tousse, elle éternue, elle crache telle une loco et on fait mieux comme séduction.

LA MAISON NOIRE

Des retrouvailles

Éliane arpente toujours le boulevard Montparnasse, côté numéros pairs, elle ralentit comme chaque fois devant l'étal de l'écailler au carrefour Vavin, elle jette un œil à ces huîtres vertes et ces algues noires luisant dans la glace pilée, s'attend à en avoir très envie puisque les huîtres, le pain de seigle et le beurre salé forment son repas préféré, mais ce soir ce n'est pas la salive qui lui monte au palais, c'est une nausée, un malaise si violents qu'elle accélère le pas, fuit sur ses hauts talons qui crépitent sur le bitume, l'air froid de décembre fait un épais nuage devant sa bouche haletante, elle manque de glisser sur un amas de vieilles feuilles mortes, elle serre sur son cou le col en petit-gris de son manteau de laine, un méchant manteau de laine bouillie mais c'est le seul dans lequel elle entre encore car elle s'est mise à grossir d'un coup dans son quatrième mois, elle n'ose se peser, elle sent juste son corps comprimé, les coutures de ses robes au bord d'exploser, aussi elle se contente du vieux manteau informe, n'ayant pas d'argent à jeter par les fenêtres, surtout pas en habits neufs, n'ayant même pas de quoi s'acheter des bottes chaudes et que dira la mère ? Qu'elle est encore mal chaussée, que ses escarpins hauts lui donnent l'allure d'une fille de mauvaise vie, que ses talons aiguilles si bien nommés perforent le lino dans la maison noire au point qu'on ne dénombre plus les trous, on se croirait sur un quai de métro rongé par un poinçonneur fou..., c'est la première fois qu'elle revoit la mère depuis trois mois, depuis le soir du sac à main retourné sur la table et du billet bleu du labo brandi au ciel, depuis que la mère l'a foutue à la porte, oui, ou disons que, l'ayant giflée deux fois (un *aller-retour*, elle appelait ça, *Je vais te mettre un aller-retour*), elle n'a pas retenu Éliane quand celle-ci a rempli à la hâte une valise, elle ne l'a pas retenue quand elle a franchi la porte du logis et elle ne lui a pas couru après non plus dans l'escalier ni dans la rue.

Mais non, la femme qu'elle retrouve dans un bistro du boulevard Raspail ne songe ni à son linoléum ni à la vulgarité.

À peine ont-elles échangé un baiser sec et sonore (on dirait que leurs joues s'entreclaquent, deux petites gifles pour solder les comptes), que la mère attaque les souliers, oui, mais pas sous l'angle attendu :

« Encore ces maudits talons, gémit-elle, dans ton état ? Tu vas te bousiller le dos, ma fille, avec tout ce poids que tu portes. »

Elle sourit, la mère, un peu ébahie, un rien rieuse.

« Dis donc, tu as drôlement pris ! Ne me dis pas que ce sont des jumeaux ? »

Éliane hoche la tête, les larmes aux yeux. Albertine pose ses mains sèches et noueuses sur les mains gantées de sa fille. Les doigts de la couturière sont si calleux, si entaillés par les aiguilles et les ciseaux qu'Éliane sent les gerçures accrocher le satin de ses gants – une sensation d'enfance équivoque, exaspérante, agréable aussi.

« Ma petite à moi, mon joli pruneau. Pleure un bon coup, va, si ça peut te soulager.

— Je n'y arrive pas. Je ne pleure plus, c'est fini. C'est tari.

— Te voilà toute seule, hein ? Ne mens pas, ta tante m'a tout appris. Il t'a plaquée, pardi. »

Dans les yeux bleus d'Albertine passe un ciel d'orage.

« Non, ne le dis pas.

— Quoi ?

— Ne dis pas que tu m'avais prévenue. Je suis assez punie comme ça, je crois.

— C'est bien que tu l'aies gardé. Je n'aurais pas voulu que ma fille finisse comme toutes les grues chez la vieille aux chats. »

Éliane lève les yeux au ciel, desserre à peine les dents : « Tu vas me dire que tu es fière de moi, peut-être ?

— Ne prends pas ce ton avec moi, ma fille. Et regarde-moi. Tu t'en sors ?.... Avec ton loyer, les dépenses médicales, tu t'en sors ? Ta tante et moi, on s'est dit qu'on allait t'aider. Ne crains rien, on sera là pour toi et ton enfant.

— C'est gentil à vous, mais ça va. Le soir, je tape des thèses d'étudiant. Tout le monde dit que je suis très bonne dactylo. Je vais même taper les Mémoires d'un vieux général. C'est chouette, non ? »

Elle force sa joie, va pour évoquer le photographe qui veut acheter ses mains, mais, prudente, elle boit une grande gorgée de limonade et ravale ses paroles.

« Ne te tue pas à la tâche. Grosse comme tu es déjà, les derniers mois seront une épreuve. »

C'était bien sa mère de parler ainsi, sa mère retrouvée.

C'était sa signature involontaire, non pas la méchanceté mais une brutalité qui revenait à peu près au même et vous faisait vous sentir tout sauf aimée, tout sauf aimable.

« C'est connu. Plus on prend de poids, moins ça se passe bien. Regarde ce qui m'est arrivé avec ta sœur…

— Elle va comment ? »

Éliane se mord la lèvre inférieure – quelle idée de poser une question dont on ne veut surtout pas écouter la réponse, car cette réponse elle est attendue, tout le monde la connaît déjà sauf la principale intéressée, la mère qui court les hôpitaux à la recherche d'un toubib providentiel ou, faute de miracle, d'un beau mensonge… Tout lui irait, qui lui rendrait le sommeil après cinq années d'insomnies, d'angoisses et de colère rentrée. Enfin dormir. Comme une brute. Comme une bûche.

« On a rendez-vous aux Enfants-Assistés lundi matin pour toute une palanquée de tests. C'est pas loin de ton bureau et je me demandais… Tu veux bien nous accompagner ?

— J'ai beaucoup de travail, maman, je ne peux pas m'échapper comme ça. Mais on peut déjeuner ensemble après le rendez-vous, si tu veux. »

Elle se mord la lèvre de plus belle : elle n'a aucune envie de revoir l'enfant qu'elle peut à peine appeler sœur, le seul prénom de Myriam lui donne envie de fuir, courir sur ses hauts talons. Albertine ne voit rien, n'entend même pas la peur dans la voix de son aînée. Elle serre plus fort entre les siennes les mains gantées de noir.

« Si tu venais, je serais plus tranquille. Plus confiante. Moi toute seule, je ne comprends pas la moitié du quart de ce qu'ils me racontent et, comme j'ai honte de les faire répéter, je repars flouée, blousée, furieuse contre moi et contre le monde entier.

— C'est d'accord, maman, je m'arrangerai avec ma collègue Colette, une bonne amie.

— Ah ! C'est bien que tu puisses te changer les idées avec une copine de ton âge. »

Éliane rit : « Colette va sur ses cinquante ans. Elle pourrait être ma mère. Disons qu'elle m'a prise sous son aile. »

Albertine s'empourpre violemment, dans les yeux gris-bleu passent cette fois des éclairs. À son tour, Éliane rougit – mais de plaisir, de fierté – et c'est à peine si elle se retient de sourire : jamais elle n'aurait cru voir sa mère jalouse d'une autre femme, jamais surprendre un jour cette rage à l'idée qu'une rivale lui ravisse sa fille.

« À propos de vérité, maman, je voulais te demander : c'est vrai, ce que dit ma tante Marthe ?... C'est vrai que tu t'es mariée dans le même état que moi ?

— Elle t'a dit ça, Marthe ? Elle manque pas d'air.

— Ne lui en veux pas, les mots lui ont échappé. Tu sais comme elle est gaffeuse.

— Bien sûr. À l'entendre, c'est jamais elle, c'est sa langue qui fourche. Langue de vipère, oui.

— Ne dis pas ça. Je te jure qu'elle était catastrophée, j'ai cru qu'elle allait faire une apoplexie au moins.

— Merci, ma sœur », grommelle encore Albertine puis ses yeux s'assombrissent, sa bouche s'affaisse, sa poitrine se creuse – tout son être est traqué.

« Ne réponds pas si tu ne veux pas. Ce n'est pas grave.

— Mais oui, c'est vrai. J'étais enceinte de Gaston et on s'est mariés pour ça. Il ne m'aimait pas. Tu n'étais pas née que déjà j'étais cocue avec la moitié de la ville. Mon Gaston ou ton André, c'est du pareil au même : ils sont trop beaux. Je t'avais dit de te méfier des hommes trop beaux. Ils vous font perdre la tête.

— Mais papa t'a épousée, lui. Il ne t'a pas abandonnée comme la dernière des dernières. »

Albertine hausse les épaules : « Il ne faisait que son devoir. Tu parles d'une entrée dans la vie... Je voulais autre chose pour toi. Je voulais mieux pour toi. Quand j'ai trouvé ce maudit papier du labo, j'ai deviné avant même de l'ouvrir de quoi il s'agissait. On est comme ça, les mères. Tu verras. J'étais tellement...

— Déçue ?

— Le mot est faible, mon pruneau. C'est le sol qui s'ouvrait sous mes pieds, c'est la plus belle part de ma vie qui sombrait. Je n'aurais pas dû fouiller dans ton sac. Je n'aurais pas dû lever la main sur toi. J'aurais dû me retenir. Te retenir.

— Je comprends. Je crois que je comprends. »

Albertine lui lance un clin d'œil et chuchote : « Avec toi, j'ai eu de la chance. J'ai gardé ma ligne jusqu'à la fin. Quand je me suis mariée, j'étais à sept mois, eh bien... »

Éliane la coupe, brutale à son tour :

« Eh bien, on ne voit rien sur les photos. Tu t'es mariée en blanc. En belle robe longue. Ni vu ni connu.

— Une chance inouïe, c'est sûr. »

Éliane a croisé les mains sur son ventre où pousse un

ballon. *C'est l'histoire de ma vie,* se dit-elle, *ne tenir aucune place, me faire toute petite, invisible et comptant pour rien.* Elle regarde sa mère en silence, songe à ce qu'elle pourrait rétorquer encore : *Une sacrée veinarde, oui, et tu as eu cette autre chance que ta mère à toi ne te foute pas à la porte.* Se tait plutôt en découvrant, émue, que la femme vernie a pris un gros coup de vieux.

*

Oui, les cheveux d'Albertine ont beaucoup blanchi en quelques mois. La voici de nouveau en chômage saisonnier, sans indemnités, et elle fait comme si ça pesait pour rien dans ce qu'elle appelle son mouron, ce grand souci qui lui a creusé deux nouvelles rides au front. « Mais ne t'en fais pas pour moi, ma fille. Garde ta prime de fin d'année pour commencer ta layette. Marthe m'aidera s'il le faut. Et puis... J'ai bon espoir cette fois que la maison Dior me garde à l'année. La première d'atelier dit que c'est envisageable, qu'elle appuiera ma candidature. »

Éliane hoche la tête. « Bien sûr, dit-elle, il faut envisager cette solution », n'en pensant pas un mot, pensant plutôt *Encore cette vieille lune de la Maison qui l'embauchera à temps complet, un jour Dior, un autre jour Grès, un autre jour encore Balmain ou Lanvin, et tous les six mois c'était la même histoire, la même rengaine sur un élégant vélin bleu ou ivoire historié d'armoiries fantoches :* « Nous ayant donné entière satisfaction, nous nous trouvons dans l'obligation de nous séparer d'elle pour cause de chômage technique et la recommandons chaleureusement... », *ce limogeage de bonniche, donc, ce pied au cul reçu deux fois l'an depuis vingt-trois ans, comment peut-elle encore y croire ? Trois cents heures par mois, ils l'ont fait travailler plus de trois cents heures par mois l'été dernier, tout ça pour un salaire de misère, et puis quoi ?... Plus rien ?*

« Explique-moi, maman, quelque chose que je ne comprends pas : pourquoi tu cours ainsi d'une maison à l'autre, pourquoi tu ne t'installes pas couturière à domicile ? Chez toi, tu ferais de la confection, tranquille, à ton rythme, sans chef sur le dos ni délai intenable. En moins de deux mois, tu aurais déjà ta clientèle. Des femmes bien, respectueuses, pas ces emmerdeuses de millionnaires qui prennent cinq kilos entre deux essayages et exigent qu'on refasse tout. »

Albertine rit. « Vrai, elles sont horripilantes. Mais comment veux-tu que je fasse venir des clientes chez nous ? Ce n'est pas... Ce n'est pas assez bien pour recevoir.

— Maman, ne cherche pas de faux prétextes. Crois-tu que tu serais la première couturière à travailler dans sa salle à manger ? Évidemment, non.

— Ce n'est pas ça, ma fille... C'est moi... Je me connais. Toute seule, je n'y arriverai pas. Je m'ennuierai, je broierai du noir et pour finir je ferai du mauvais boulot. Dans les ateliers, on est vingt, trente ouvrières, tu comprends. On s'épie, on se jalouse, on envie celle à qui la chef a confié la plus belle robe de la collection. Mais on rit aussi. La nuit tombée, on fait la pause, on met la radio et on danse entre nous avant de reprendre nos toiles et nos bâtis. J'aime cette vie-là, dans un autre monde, loin de chez nous. Ça me fait du bien. »

Elle s'étrangle à ces derniers mots, comme elle aurait

pu ajouter *Loin de mon calvaire, loin de ma pauvre môme amochée – quelques heures au moins.*

. . . .

Quelque chose ne va pas, depuis le début on le sent, dès les premiers jours on l'a su, mais on ne le dit pas. Albertine ne veut pas de commentaires, pas de conseils, pas de jérémiades non plus. Elle n'a pas eu besoin de l'exprimer : toute la maison noire s'est tue et soudée autour du tabou. Aux commères qui s'étonnent du peu de progrès de sa fillette, elle répond qu'elle est petite encore, elle va sur ses quatre ans seulement – et les commères de froncer les sourcils, incrédules : « Elle est si grande, ta Myriam », et Albertine de leur rétorquer qu'elles n'ont pas connu le père : « Son père aussi est très grand, elle tiendra de lui. »

Myriam. Le cas Myriam. Myriam au centre des attentions et de toutes les hantises. C'est une enfant qui fait honte dans la rue. Une enfant dont les autres enfants se moquent, qu'ils invectivent, insultent, imitent grossièrement. Sa vue indispose tout autant les passants adultes et beaucoup ont ce regard oblique qui veut voir et déteste ce qu'il voit : non seulement une gamine infirme que ses bottines orthopédiques armées d'attelles font marcher en canard, d'un pas raide et lourd de poupée mécanique, mais aussi un visage qui fait peur avec ses grands yeux bleus transparents comme vides, qui fait peine avec sa lèvre du haut cousue d'un gros bourrelet – cette enfant de bientôt six ans, en vérité, qui n'articule pas mieux qu'un nourrisson de dix-huit mois, et tout le monde comprend aussi que ce n'est pas la cicatrice à sa lèvre qui l'empêche de parler, ce n'est pas le bec-de-lièvre réparé tant bien que mal, non, le problème est plus haut, c'est dans son cerveau que ça se passe ou plutôt que ça ne se passe pas.

Et voici qu'Albertine fait volte-face comme par un coup de sang.

Voici qu'elle veut savoir : « Rien n'est pire que de ne pas savoir » est le nouveau mot d'ordre. À l'âge pour sa fille d'entrer à l'école, elle a besoin d'être fixée, dit-elle, fixée une fois pour toutes – comme s'il y avait urgence à arrêter le sort de l'enfant, à en sceller la destinée.

Éliane préférerait tout ignorer, qu'on laisse les choses flotter ainsi, comme l'esprit de Myriam lui-même semble flotter, indolent, dans une ouate éternelle. Elle a mal au cœur. Le ventre vide. Le ventre envahi. Gonflé de toutes ces limonades avalées nerveusement.

La mère et la fille prennent le même bus en direction de la porte d'Orléans. Au terminus elles se séparent, l'une doit se dépêcher pour ne pas rater la correspondance du bus pour Bagneux, l'autre rejoindra à pied sa chambre sous les toits de l'immeuble haussmannien. La mère n'a pas demandé à voir le « studio » où habite sa fille. C'est toujours mieux, disait-elle aux voisines, un bel immeuble cossu plutôt que la maison noire. Même avec les six étages à monter, même avec les chiottes à la turque sur le palier. (Faisant preuve d'une étonnante constance, jamais Albertine ne mettra un pied dans cette chambre qui devait représenter on ne sait trop quoi pour elle, la faute, le remords, l'échec. Oui, tout au long des dix années que sa fille passera dans ces quelques mètres carrés, elle trouvera le moyen de décliner l'une après l'autre ses invitations. Jusqu'au jour où Éliane renoncera.) Elles s'embrassent, la mère étreint sa fille. « Tu m'as manqué. » Ici, Éliane devrait répondre Toi aussi, mais les deux mots, les trois syllabes ne franchissent pas ses lèvres. Il lui semble que ce serait mentir. *Et les mensonges, ça va comme ça.*

*

Colette Cordelois avait beau jeu d'accabler André, de trouver réunis en lui tous les vices et les travers masculins : dissimulation, lâcheté, versatilité, inconséquence. Qui sait si ce n'était pas à cause de Myriam qu'André avait disparu ? La peur d'un sang vicié, l'angoisse d'un héritage tératogène auraient suffi à expliquer sa fuite. Car André avait tout de suite perçu que sous les belles anglaises blondes, derrière les vitraux bleus de son regard, quelque chose clochait dans le cerveau de la petite sœur. Par instants, Éliane imaginait que Myriam mourait d'une méningite foudroyante, renversée par un chauffard ou de quelque autre façon cruelle et radicale – tous scénarios qu'elle chassait de son esprit avec colère et dégoût, préférant retourner contre elle-même la violence silencieusement encaissée depuis ces six années.

... Invisible, comptant pour rien, moins que zéro dans les équations célestes, pas même un epsilon dans les calculs d'un aviateur.

Ce vieux docteur Meyer avait raison : à aucun moment, on n'avait demandé son avis à Éliane. Tout fut décidé dans son dos, le remariage d'Albertine avec ce rescapé d'un camp allemand, un bourgeois catholique qui fut d'abord un gentil soupirant, le temps qu'il lui fallut pour se remettre des huit années d'oflag et récupérer son poste de directeur à la Monnaie de Paris – et il arriva qu'Éliane le prenne en pitié, parfois même en affection. Vint alors ce mariage redouté, l'installation dans la demeure familiale où Éliane crut le bonheur possible, un bonheur qui prenait la forme d'une maison cossue avec grand jardin, la forme d'un piano et le visage d'un professeur privé qui vantait à tout le monde les dons musicaux de l'adolescente, lesquels dons furent aussitôt raillés par les beaux-parents comme ils raillaient les talents de couturière de leur bru – « tout juste bonne à faire des ourlets à une serpillière », disait la vieille dévote –, et la guerre entre les deux femmes commença, une guerre à domicile qui prit chacun à témoin et tout le monde en otage, vinrent les disputes chaque soir, Albertine reprochant à son époux de laisser sa mère l'insulter, le fils reprochant à sa femme d'être grossière avec la marâtre, on les entendait se chamailler depuis la chambre nuptiale jusqu'à ce soir où d'autres éclats fusèrent de la porte, des cris, des gifles, des coups, ce soir où Albertine, les yeux rougis, les cheveux en bataille, surgit dans la chambre d'Éliane et lui dit de faire ses valises tandis qu'elle-même bouclait les siennes. Une heure plus tard elles étaient dehors, plantées sur le perron de cette belle maison d'une riche banlieue, leurs bagages à leurs pieds (« chassées comme des malpropres », dira Albertine au procès de divorce ; « faux, répliquera l'époux, tu as abandonné le domicile conjugal »), chassées ou fugitives, donc, peu importait à Éliane, quinze ans, le cœur gros, serrant les dents pour ne pas pleurer dans ce taxi de nuit qui les ramenait à Bagneux, à la maison noire, à la misère.

Un détail dans le décor, c'est tout ce que j'étais. Quelques semaines plus tard, Éliane apprit qu'elle allait avoir un frère ou une sœur. Elle se rappelle l'humiliation, non pas tant cet accès de jalousie qu'elle éprouva un instant et qui se résuma vite à un pincement au cœur, mais la gêne, l'embarras social à voir sa mère enceinte à l'âge de trente-six ans, un âge indécent où plus personne ne fait d'enfants. Loin devant ou loin derrière, elle prit l'habitude de laisser vingt mètres de trottoir entre sa mère et elle. Plus jamais elle ne lui donnerait le bras.

. . . .

Elle a été malade toute la nuit. Le lendemain, Éliane arrive en retard et Colette Cordelois a le visage des mauvais jours. « Le général t'attend. Sur-le-champ. »

Dans le bureau d'acajou, Chanel est en bras de chemise, la cravate dénouée.

« Je suis désolée pour le retard…

— Mon petit, j'ai quelque chose à vous annoncer. Je vais vous quitter.

— Quoi ?

— Je quitte le *93*. »

Il porte à ses lèvres le café que lui apporte Cordelois, il le tète plutôt, et finit par s'y brûler la langue. *Même pas mal*, semble-t-il défier, mû par ces ressorts visibles que sont la fierté, l'honneur, l'endurance, toutes ces choses de soldats, et aussi l'action, le feu.

« Le gouvernement m'envoie en Algérie mettre un peu d'ordre et imaginer une stratégie aérienne là-bas. On m'a prévenu voilà un mois, mais je ne pouvais pas en parler. Eh ! Ne tirez pas cette tête d'enterrement ou vous allez me filer le cafard – pour reprendre un mot que vous affectionnez. L'insurrection ne va pas durer, faites-moi confiance. On va mater tout ça et, quand je rentrerai, je vous rappellerai aussi sec à mes côtés. Où que je sois, je vous rappellerai.

— Qu'est-ce que je vais devenir ? »

Elle a gémi malgré elle.

« Je suis si heureuse, ici, à travailler pour vous, Général.

— Je ne vous laisse pas à la rue. Je vous ai recommandée à un vieil ami de la cité de l'Air. Il vous attend la semaine prochaine.

— Si vite ?

— Je comprends votre déception. On est mieux ici qu'à la cité de l'Air qui est une usine à gaz un peu sinistre, je l'avoue. Mais si j'ai pensé à Balard, c'est qu'il y a une crèche là-bas, une crèche pilote ouverte à tous les personnels, militaires et civils. Et je me suis dit que vous seriez bien aise d'en profiter, vous et votre bébé.

— Merci, Général.

— Allez, mon petit, réjouissez-vous pour moi. Un homme comme moi n'est pas fait pour rester le cul vissé sur un fauteuil, pas bâti non plus pour les cabales et les intrigues ministérielles. J'ai besoin de retrouver le terrain – enfin, je devrais plutôt dire le ciel –, oui j'ai besoin d'air et de hauteur, et de savoir que je sers encore à quelque chose. »

(Assez madré, cependant, assez fin comploteur pour fomenter trois ans plus tard un putsch de généraux et vouloir renverser cet autre général qui dirigeait le pays depuis peu, un ancien ami, un héros de la Résistance lui aussi, mais c'est une histoire à venir, une histoire pas encore née.)

« L'armée n'abandonne personne », promettait-il quelques semaines plus tôt, « encore moins une enfant comme vous, pupille de la nation. » Elle y avait cru. Car c'était une distinction que d'avoir eu son père tué à l'ennemi, non pas une chance mais un malheur qui vous ouvrait des privilèges dans ce monde d'hommes et d'armes, comme cette priorité à l'embauche dans la fonction publique dont elle avait bénéficié à la sortie de l'école de secrétariat. La gratitude du pays, sans doute, mais aussi cette fidélité de caste, ce serment atavique des guerriers qui, sans se le jurer, sans même en être conscients, se sentent engagés à veiller sur les enfants orphelins de leurs frères d'armes.

Des mots, du vent que tout ça.

« C'est un patron, dit Colette Cordelois qui en avait connu plus d'un. Tu t'attendais à quoi ? On ne va pas pleurer un patron.

— Je me sens si seule. Tout me lâche, Colette, tout m'abandonne. Je ne suis plus rien pour personne.

— Tu sais quoi ? On va aller se réconforter avec un bon coup de champagne. Ça te dirait de connaître la Closerie ?

— Ah non, pas la Closerie », souffla Éliane.

Colette Cordelois haussa ses sourcils peints et, tout en tapant l'embout de sa Gitanes sur le bel étui à cigarettes, elle dévisagea sa jeune protégée qui avait, quel dommage, des secrets pour elle.

(Oui, le monde entier lâchait. Tony avait encore repoussé de quinze jours la date de la prise de vues. En janvier, dans quel état seraient ses mains à la vitesse où elle prenait du poids ? Elle les massait obstinément, dix minutes par heure et, les soirs où elle ne tapait pas pour les étudiants, elle les baignait dans une cuvette d'eau pleine de glaçons, aussi longtemps qu'elle supportait la douleur, jusqu'à ce que la morsure du froid se transformât étrangement en chaleur, puis en brûlure.)

À la deuxième coupe de champagne, elle était ivre. Les piliers de la Coupole se mirent à vaciller puis à ployer comme une forêt sous le vent. « Je suis pompette », dit-elle à Colette Cordelois, qui rit et lui tendit une cigarette allumée.

T'es cuite, lui susurrait une petite voix, *totalement cuite* – et c'était moins drôle dit comme ça.

L'enfant des brumes

Ceci, quatre ans plus tôt. Parce qu'elle n'arrivait pas à se dresser, encore moins à marcher, Myriam fut soumise à un carcan de ferraille, les hanches cerclées, les jambes figées en grand écart facial. C'était malgré tout un bébé rieur et gracieux, qui semblait endurer sa torture vaillamment. Mais il fallut trouver une nourrice, une nourrice à un prix abordable – et ce fut une ferme à la campagne, quelque part dans le Loiret, à trois heures d'autocar de la porte d'Orléans. La bonne femme eut vite fait de se plaindre du mauvais caractère de la fillette, de ses cris, de ses crises. Dans ses accès de colère, elle jetait tout en l'air, assiettes, verres et couverts, et si l'on tentait de la calmer elle vous mordait la main ou l'avant-bras. Pour garder un démon pareil, la paysanne exigea double tarif : c'était à prendre ou à laisser.

« J'ai besoin de toi, avait dit Albertine à sa fille aînée. Il faut que tu aides aux frais de la maison, sinon on ne s'en sortira pas. » Sans discuter, Éliane avait quitté le lycée de jeunes filles Paul-Bert pour entrer dans un cours intensif de secrétariat. Trois mois plus tard, elle décrochait un certificat de sténodactylographie sur lequel on peut lire que *l'élève*

Éliane Mesny, d'un très bon niveau en français écrit et parlé, d'un bon niveau en anglais écrit et parlé, d'un niveau passable en espagnol écrit et parlé, a montré de remarquables aptitudes à la sténographie où ses performances atteignent 150 (cent cinquante) mots à la minute, si l'on peut appeler mots ces partitions de signes vaguement barbares entre alphabet runique, morse et vermicule qui noircissaient des dizaines de blocs à spirale.

Au même moment, le cerveau de Myriam sembla s'arrêter, toute sa personne se renfrogner. Ses regards fuyaient, elle ne riait plus, n'essayait plus de parler, refusait les caresses comme les baisers. Un dimanche qu'Éliane avait décidé de rendre visite à sa sœur sans prévenir personne, elle entra dans la cour de la ferme et, par une fenêtre de la cuisine, surprit cet échange rigolard entre la nourrice et une autre femme :

L'inconnue : « Elle va comment, votre plante verte ? »

La nourrice : « Vous croyez pas si bien dire. Une vraie potiche. Notez que c'est fort pratique, son appareillage, elle ne peut pas bouger, j'en fais ce que je veux. Je peux la passer d'une pièce à une autre, je la pose dans un coin et si elle braille je ferme la porte pour pas entendre ses chialeries. »

Éliane recula jusqu'au portail, gagna le village à deux kilomètres de là. Pour la première fois, elle se trouva stupide sur ses talons hauts. Elle frappa à plusieurs portes avant qu'on ne lui ouvre, et de nombreuses portes encore avant de trouver une maison avec le téléphone. « C'est une urgence », supplia-t-elle. Elle appela le boui-boui voisin de la maison noire. De mauvaise grâce, le patron quitta son comptoir pour appeler Albertine depuis la cour commune. « Elle est pas là, votre mère. Votre tante non plus, j'ai essayé. »

Elle raccrocha, fouilla son sac, demanda combien elle devait pour la communication. L'homme de la maison refusait son argent. « Vous êtes épuisée, vous tremblez. Asseyez-vous, mademoiselle. Je suis le maire du bourg. Vous voulez me dire ce qui vous arrive ? » Elle raconta. Quand elle eut fini, le maire et son épouse se regardèrent, atterrés. L'épouse dit : « Hélas, mademoiselle, vous n'avez pas rêvé et nous vous croyons. Cette… créature n'en est pas à son premier coup. On se demande par quelle aberration les services à l'enfance lui renouvellent son agrément. » En lui serrant la main sur le trottoir, le maire dit à Éliane : « Retirez votre sœur de cet endroit, au plus vite.

— Je n'ai que seize ans… Je suis venue par le car… Je ne peux rien faire.

— Prévenez votre maman qu'elle ne doit pas attendre une semaine de plus. » À la fenêtre d'une maison adjacente, une ombre les observait derrière un voilage.

« Je ne vous ai rien dit, bien sûr. Vous cherchiez votre chemin, je vous ai renseignée. »

. . . .

Albertine voulait la vérité, elle allait l'obtenir, noir sur blanc, irrévocable. Le lundi suivant, comme prévu, la mère et ses deux filles se retrouvèrent à midi au Gymnase. En cette heure de chauffe, la salle était bondée et les serveurs aboyaient, nerveux, glissant sur le sol couvert de sciure en de clownesques pirouettes qui faisaient rire Myriam.

Je soussigné Léo Klein, Médecin Assistant de la Consultation de Psychiatrie infantile de l'Hôpital des Enfants-Assistés, *certifie suivre Mademoiselle Myriam N*, née le 10 janvier 1953, depuis sa naissance. Nos derniers examens et l'ensemble de nos explorations ont montré qu'elle est atteinte d'une débilité mentale avec un Q.I. qui ne saurait dépasser 50 à sa maturité. Cet état la rend inapte à une scolarité normale et indépendante. Elle est néanmoins susceptible de suivre des cours de perfectionnement dans un établissement spécialisé.*

Quant à comprendre ce qu'un tel verdict réservait face à l'immensité des jours, quel traitement nouveau ou quel miracle raisonnable en espérer, le docteur Léo Klein avait expliqué de sa voix fluette : « Chère madame, imaginez un lac dans le brouillard, un marais sous une brume épaisse. Parfois des vapeurs montent, s'élèvent jusqu'au ciel et on aperçoit alors des trouées bleues dans la grisaille. On croit que le soleil va percer. L'esprit de votre fille est pareil à ce paysage. Des vapeurs s'y lèvent, vous entrevoyez une lueur et vous croyez que le ciel se dégage durablement. Mais le banc de brouillard se reforme, hélas, et l'éclaircie n'a pas duré plus qu'une éclipse. Ce sera comme ça, toute sa vie… Il y aura les bons jours et les moins bons… Les bons jours, vous serez heureuse, vous vous prendrez à espérer une embellie définitive. Alors je vous en conjure : Profitez de ce moment heureux, ne boudez pas votre joie, mais n'espérez pas. Car il n'y a rien à espérer. La brume reviendra, peut-être encore plus épaisse, elle reprendra son empire sur le marécage. »

Albertine hausse les épaules : « Je n'ai pas tout compris à ce qu'il me chantait, cet original », se défend-elle – mais bien sûr elle a compris. Aucun mot ne lui a échappé, aucune image, même les plus terrifiantes. Myriam boit son lait fraise avec une paille articulée qui attire toute son attention. A-t-elle entendu le diagnostic, sait-elle qu'il s'agit d'elle, que c'est d'elle que sa mère et sa sœur s'entretiennent avec des mines défaites ? La paille jaune articulée est plus importante, de même que les allées et venues du serveur autour du chariot à pâtisseries, maudit serveur qui n'apporte pas le gâteau promis, qui l'a oubliée – et elle plisse son front, cogne ses bottines ferrées contre les pieds de la chaise.

Éliane lit et relit le certificat du médecin, bientôt elle le saura par cœur. La tête lui tourne, le sol tangue sous sa chaise, une sueur glacée sourd à son front. La mère se fait implorante : « Tu ne dis rien ? La débilité, il a dit, la débilité est légère… » La bouche sèche, Éliane déglutit à grand-peine et cherche l'air, dirigeant toutes ses forces sur cette urgence : respirer, respirer pour ne pas s'évanouir.

Albertine insiste : « Si c'est léger, ça veut peut-être dire que ça ira quand même. Que ça lui suffira pour une vie normale, une vie modeste comme on les a, nous. Dis, ça ira ? » La fille souffle enfin : « Je crois pas, maman. Je crois pas que ça suffise pour mener une vie normale. »

Elle n'a pas senti les larmes couler sur ses joues, ou bien elle a pensé que c'était la sueur. C'est sa mère qui le lui signale en sortant un mouchoir de son sac.

« Pourtant, cette histoire de Q.I. à cinquante, ça sonnait pas si mal. Je veux dire : cinquante, c'est un peu la moyenne, oui ?

— Non, maman, ce n'est pas la moyenne. Mais on va se battre.

— Se battre ?… Contre quoi, ma fille ? Il l'a bien dit, ne pas se bercer de faux espoirs.

— Myriam saura lire, elle saura écrire, elle saura compter. On se battra pour ça. »

Le gâteau au chocolat arrive, recouvert d'une épaisse chantilly comme Myriam l'avait demandé. *Un banc de brouillard, disait-il.* S'appliquant à tenir sa cuiller, la fillette engloutit brumes, brouillard et cacao en quelques bouchées. Se rappelant soudain la présence d'Éliane, cette sœur qu'elle croyait disparue pour toujours et qui revient avec une pochette-surprise dans le ventre, elle lui prend la main et demande : « C'est vrai que tu vas avoir un petit et que je vais devenir sa tante ?

— Oui, on en prend le chemin.

— Et c'est vrai que tu sais pas encore si ce sera une poupée ou un baigneur ?

— C'est vrai aussi.

— Eh ben, moi aussi, pour Noël, je veux un enfant. Mais un baigneur alors, parce que les poupées, j'en ai jusqu'à plus savoir t'en faire. »

Éliane rit, les tables voisines aussi. Albertine se méfie de la couleur des rires, aussi elle tarde à se dérider : il est si rare que sa gosse réjouisse les cœurs. Si rare qu'elle plaise. Elle y va alors d'un sourire discret, où l'on peut lire sa fierté de ses deux filles.

Un soleil à éclipses

Dans le vieux Bagneux, on l'appelait maison noire par un raccourci de *maison à la tête noire*, qui était sans doute elle-même une contraction de *maison à la tête de Noir*. C'était en réalité un petit immeuble de deux étages qui avait dû passer pour cossu jadis. Les anciens prétendaient qu'il avait été construit pour les rares séjours parisiens d'un notable établi dans les colonies, lequel, après un revers de fortune, l'avait revendu à un marchand de charbon. La porte d'entrée était surmontée d'une tête dont on ne savait plus comment ni de quoi elle était faite, sculptée en ronde-bosse dans la pierre ou bien fondue dans le métal, les cent ans de suie grasse qui la recouvraient ayant effacé ses contours et sa matière. Le mascaron représentait un jeune esclave africain androgyne, l'impression de féminité étant renforcée par les anneaux à chaque oreille et le lourd collier (un bât ? une entrave ?) qu'on entrevoyait à la naissance du cou. Éliane avait souvent tenté d'en percer le mystère mais n'avait fait que l'épaissir au contraire : elle imaginait un négociant enrichi dans la traite négrière, elle faufilait quelques ébauches de roman dont la plus insistante était que le négrier fût tombé un jour amoureux fou d'une de ses victimes au sexe indécis.

À son rachat des lieux, le bougnat fit diviser la demeure en plusieurs logements qu'il loua à des ouvriers. Sans hygiène ni confort, c'étaient en réalité de sombres réduits, chaque chambre ou salon d'origine ayant été cloisonné en plusieurs pièces au mépris de toute lumière. De l'ancien décor, seules les cheminées furent conservées, de hautes cheminées incongrues avec leur manteau de marbre italien et leurs trumeaux de glace biseautée, un luxe dérisoire et cruel pour des locataires qui n'avaient pas de quoi acheter du bois et devraient se contenter de poêles – des poêles à charbon, précisément.

Avec le temps, et en l'absence du plus sommaire entretien, l'immeuble s'était dégradé de façon vertigineuse. La peau du mur de façade avait subi tant d'outrages au fil des décennies – les lourdes fumées des fabriques voisines, les gaz d'échappement des camions et des voitures, sans parler de la crasse ordinaire du temps qui passe – qu'elle avait fini par devenir vraiment noire, de sorte que le petit immeuble aurait mérité son surnom avec ou sans la tête sculptée – laquelle était d'ailleurs de moins en moins visible, perdue dans la noirceur d'ensemble.

L'intérieur ne valait pas mieux. Dans le couloir d'entrée (un boyau sombre, sans lumière du jour, juste une ampoule nue pendant au plafond et qui grillait tout le temps sans être remplacée avant des semaines), les murs étaient tellement rongés d'humidité et de salpêtre que les enduits, se délitant, tombaient par plaques. L'escalier grinçait sur son axe et les marches en bois, usées en leur centre par cent années de pas lourds, de corps épuisés, se dérobaient sous les semelles, ne laissant d'autre choix que de confier son salut à la rampe branlante.

Albertine et sa sœur Marthe étaient nées dans un réduit du rez-de-chaussée sur rue. Elles y avaient grandi avec leur mère puis chacune à son mariage avait loué un nouveau logis dans la maison, comme incapables l'une et l'autre d'imaginer une vie ailleurs, comme chevillées à cet escalier tordu dont la rampe avait supporté leurs glissades d'enfants et dont les marches creusées témoignaient, empreintes fossiles, de leurs âges successifs.

*

S'il parlait peu, André ne pouvait cacher aucune de ses émotions : son visage était un livre ouvert qui l'exprimait aussi clairement que des mots l'eussent fait. La première fois qu'il avait franchi la porte de l'immeuble ruiné, sa nuque s'était raidie, le sang avait fui son visage et, par le même effet réflexe, les masséters s'étaient mis à rouler douloureusement sous ses joues. Éliane n'eut aucune peine à déchiffrer son effroi – et ce fut pour elle le triste rappel d'une condition que personne ne soupçonnait en la rencontrant dans le monde extérieur. À la voir si bien vêtue, le port de tête altier et la démarche digne, parlant une langue presque précieuse, pas loin de passer pour snob, qui aurait pu croire qu'elle avait grandi là, dans cette masure sordide, sans l'eau courante, sans le chauffage central, avec les tinettes dans la cour ? Qui l'aurait imaginée vivre encore aujourd'hui dans *ça* (aidons André et prononçons les mots), cette misère répugnante ?

On l'aimait bien, André, à la maison noire de Bagneux. Pour lui témoigner sa bienveillance, l'oncle Henry l'appelait « Champion » et, dès la première poignée de main, André fut gêné par le débordement d'affection, ce besoin lancinant qu'il ressentit chez l'ouvrier fraiseur d'une relation avec un homme jeune, un homme qu'on ferait entrer dans la famille, qui deviendrait son neveu par alliance mais qui serait au fond comme un gendre, ou mieux, un fils, un homme jeune et vaillant avec qui il pourrait s'entretenir longuement (Henry était bavard), échanger ses sentiments sur le monde (Henry était communiste, mais de ces communistes émotifs à l'idéal encore intact) et, qui sait, faire le soir la tournée des cafés. Henry était fier et comme magnétisé au côté de cet athlète blond, lui qui n'avait connu dès l'enfance que la disgrâce d'un visage à peine regardable à cause d'une tare de peau appelée tache de vin, nom hélas prémonitoire car l'oncle buvait beaucoup, beaucoup, beaucoup – et un jour, à force d'alcool, la malédiction gagna son nez, qui se mit à grossir, à rougir lui aussi, tout granuleux, et finit par ressembler à une énorme fraise lie-de-vin (les mots, encore eux, leur pouvoir sur nos vies), de sorte que les enfants riaient de lui dans la rue, le poursuivaient sur les trottoirs, auxquels il ne pouvait répondre, qu'il pouvait encore moins pourchasser, ivre mort qu'il était la plupart du temps en quittant les zincs de la place Dampierre.

Les femmes de la maison noire – les vraies maîtresses de la maison, ces deux sœurs qui y étaient nées, n'en avaient presque pas bougé et y mourraient sans doute –, Albertine et Marthe n'eurent jamais recours à ces familiarités avec le prétendant. Sachant qu'Éliane condamnait les surnoms, diminutifs et sobriquets, sachant aussi que ce fils de boucher et elles n'étaient pas du même monde, elles observèrent une sorte de réserve intimidée et fière tout à la fois : les commerces d'alimentation rapportaient gros depuis la fin de la guerre, après qu'on avait crevé de faim cinq ou six années, et, parmi ces entreprises fructueuses, la plus prospère restait la boucherie. Les bouchers étaient riches de saigner les pauvres mais les pauvres avaient bien besoin de viande rouge de temps en temps, disons une fois la semaine car pour travailler dur il faut des globules rouges et le sang rouge de la viande s'infusait, disait-on, dans les globules épuisés des humains, il retapait le sang humain, celui des ouvriers, des femmes de peine, celui des enfants malades et des vieux sur la fin.

Les amoureux, comme les appelait l'oncle Henry, s'étaient rencontrés au bal du 1er Mai donné dans le grand parc Richelieu de Bagneux.

De juin à septembre, André fut invité tant de fois à la maison noire que plus personne ne tenait le compte de ses visites. Un jour, il changeait une prise défectueuse chez l'oncle et la tante. Un autre jour, chez Albertine, il remplaçait les fusibles piqués de rouille.

Et tandis qu'il réparait l'électricité dans les deux logements (*Deux taudis*, songeait-il sans oser le dire), aucune des femmes ne semblait s'étonner de l'inertie de l'oncle, les coudes vissés à la toile cirée, lisant *L'Humanité* puis, son journal fini, ouvrant un roman de la Série Noire et n'en relevant les yeux que pour se servir un pastis. C'était pourtant un bosseur à l'usine, un homme qui prenait toutes les heures supplémentaires qu'on proposait. On acceptait qu'il ne fît rien à la maison que se croiser les bras sur la table, lire et picoler, comme Marthe avait accepté la disparition des miroirs : le trumeau de la cheminée avait été recouvert de tracts et d'affichettes de la Résistance, des papiers jaunis désormais, si bien joints que plus un centimètre de glace réfléchissante n'apparaissait. Un recoin faisait office de cuisine et de cabinet de toilette – un placard aveugle, sans fenêtre ni lumière électrique : Henry avait appris à s'y raser au toucher et c'était compliqué avec son nez qui pendait sur sa lèvre supérieure. Il se coupait souvent mais qu'importe ? Pour rien au monde il n'aurait cherché sous l'évier le petit miroir à main que Marthe cachait là et qu'elle ressortait discrètement pour se recoiffer après sa toilette du matin. Elle n'avait pas besoin de plus grand : il y a longtemps qu'elle ne se maquillait plus. Plus du tout. Pas même un brillant à lèvres. Après le savon de Marseille et le coup de peigne, quelques gouttes de sent-bon au creux du cou formaient toute sa coquetterie.

Oui, le fraiseur regardait sans frémir les murs noirs de suie s'effriter et tomber par plaques. Et oui, on pouvait comprendre que l'homme défiguré trouvât dans ce décor un chez-soi à l'image de son visage.

Avec ses cheveux blonds à la longue frange ondulée et mouvante comme un blé sous la brise, André était le soleil de la maison. Il sifflait faux, chantait encore plus faux, il donnait le sourire à tout le monde, même à la petite sœur au visage clos, au corps perclus, dont l'œil éteint s'illuminait de joie à son arrivée. La caisse à outils fascinait Myriam – un fouillis très fourni, rangé n'importe comment en apparence, mais où André retrouvait tout ce dont il avait besoin, ses doigts habiles œuvrant sans hésiter, dans un grand calme.

« Il fait quoi, André ? » demandait Myriam, et Albertine répondait : « Il bricole, ma chérie. – *Bricole ?* reprenait la fillette comme si chaque fois elle devait découvrir le mot. – Oui, renchérissait Marthe, André est bon bricoleur. » Et le mot répété en écho par les femmes unies dans la pièce à tout faire (entrée, salle à manger, atelier de couture), les trois adultes assises autour de la table comme au spectacle tandis que Myriam se tenait debout, collée à l'escabeau, ce mot dans la bouche arrondie des femmes résonnait tel un inestimable attribut, le refrain d'un chant d'amour et de grâces, un péan au héros de grand secours, le sauveur d'entre les dieux Lares.

Un homme à la maison, c'est ce qu'on lisait dans les yeux de ces femmes car aucune d'elles ne savait ce que c'était que d'avoir un père (celui de Marthe et d'Albertine était mort en 1917 dans les tranchées, celui d'Éliane avait brûlé vif dans un char en 1940, celui de Myriam s'était vu accorder par le juge des divorces un droit de visite si restreint qu'il avait renoncé à voir sa fille grandir), et les seules d'entre elles qui s'étaient mariées savaient à peine plus ce qu'il en va des hommes. À vingt-deux ans, Albertine était veuve de guerre et le resta quatorze ans avant de convoler avec le rescapé des camps de prisonniers – mariage tel un feu de paille, sept mois à peine, juste le temps de souffrir et de tomber enceinte de l'enfant des brumes. Marthe, elle, avait attendu ses quarante ans pour épouser l'ouvrier fraiseur – un homme incapable de planter un clou ni de réparer une lampe, qui buvait l'argent du ménage dans les bistrots et achevait de les ruiner à offrir des tournées à des inconnus. Car avec leurs deux salaires d'ouvriers qualifiés jamais ils n'auraient dû rester dans cette masure, parmi cette misère, non : ils auraient dû habiter un petit appartement décent dans une cité ouvrière en briques rouges, modeste mais neuf, doté du confort moderne.

Le vieux tableau électrique aux fils dénudés avait laissé place à un tableau aux normes, tout neuf, dissimulé derrière un joli coffrage qu'André avait fabriqué de ses propres mains. Confuse, ne trouvant aucun mot pour exprimer cette gratitude de ceux à qui l'on ne fait jamais de cadeaux, Albertine l'embrassa pour la première fois.

« Vous ne pouvez pas rester comme ça, dit le garçon à sa façon elliptique.

— Comme ça quoi ?

— Vous ne pouvez pas rester avec ce plâtre humide en train de pourrir autour des prises. C'est...

— Moche ? demanda Albertine, tristement.

— Sans parler de l'aspect, ce n'est pas très... C'est dangereux, voilà. »

Et c'est ainsi qu'il s'attaqua aux murs. Comme promis, il était là le dimanche suivant, de très bonne heure et à peine réveillé, deux sacs d'enduit sur les épaules, il avala son café brûlant, puis l'on fit la chaîne pour vider l'estafette garée devant l'entrée, deux tréteaux, une planche à tapisser, vingt rouleaux de papier peint (Éliane en avait choisi le motif, des rayures ivoire et vert amande), quelques seaux de peinture blanche et tout un riche outillage avec lequel Myriam, secrètement amoureuse du soleil bricoleur, pourrait passer des heures à jouer. Il fallut trois dimanches pour venir à bout du chantier.

On l'aimait tellement, André, que le jour où il demanda la permission d'emmener Éliane en week-end au bord de la mer (il n'oublia pas d'insister sur la présence de sa sœur aînée et de leur patron dans les rôles de chaperons, prétendit qu'ils partaient tous les quatre dans la voiture de monsieur Alexandre alors qu'il s'était fait prêter un side-car par un collègue pour épater Éliane), personne n'y trouva à redire et l'escapade reçut la bénédiction de la maisonnée.

Qui aurait pensé à mal ? Henry jugeait parfois le garçon écervelé et futile avec sa lubie de l'Amérique – tandis que tout ce qui se faisait de bien et de neuf dans le monde se passait en Union soviétique, chez les camarades. André ne pipait mot, il hochait la tête et se contentait de murmurer : « N'empêche, c'est beau Nouillork.

— Mais n'oublie pas que leur statue de la soi-disant Liberté, elle est française. Oui, jeune homme : française, construite par Eiffel. Ah ! Je t'en apprends, pas vrai ? »

Pourtant, lorsqu'il avait constaté le boulot abattu pour faire du gourbi d'Albertine un lieu lumineux, coquet et presque joyeux, l'ouvrier avait serré ce grand machin blond dans ses bras et déclaré : « T'es un bon gars, Champion. »

Oh oui ! on l'avait aimé, le joli garçon souriant, poli, serviable et courageux avec ça – on l'avait aimé comme un fils et un neveu jusqu'à ce soir de la fin septembre où Éliane, rentrant de chez l'épicier, trouva sa mère toute tremblante, plantée au milieu de la pièce où ça sentait encore après des mois la peinture et le diluant, Albertine écarlate, échevelée, brandissant un papier bleu ciel qu'Éliane n'eut aucun mal à reconnaître, un papier à l'en-tête du laboratoire d'analyses de la rue Vavin, Paris 14e, où elle (la fille) avait préféré passer l'examen de sang, c'est-à-dire loin d'elle (la mère), loin de la maison noire et loin de Bagneux afin d'éviter ce qui arrivait à cet instant même et n'était pas dû à l'indiscrétion d'une secrétaire médicale (« Il faut se méfier des commères, avait dit Colette Cordelois, aucune déontologie ne tient devant le besoin supérieur de dénoncer »), mais à l'indélicatesse d'une mère qui fouillait le sac de sa fille.

Il était là, le sac, renversé sur la toile cirée.

*

Comme chaque soir, de retour du *93*, Éliane a posé son sac et son imper au premier étage, puis elle est descendue chez Marthe et l'oncle Henry à qui elle raconte par le menu sa journée de travail, si vide et si insignifiante qu'elle ait été. Ils l'écoutent complaisamment, comme elle feint d'écouter l'ouvrier fraiseur, lorsque, frappant du plat de la main le journal grand ouvert sur la table, il commente à voix haute les nouvelles dont on ne parle pas au *93*, où le quotidien communiste lui-même n'entre pas, et tout le monde en prend pour son grade, le président du Conseil, le patronat, l'impérialisme américain, les militaires à la botte du patronat et des colons, il s'emporte, devient tout rouge, devient violet, son gros nez est au bord d'exploser, il suffoque jusqu'à ce que ses poings retombent sur le journal, son épouse et sa nièce le consolant alors : « Tu te fatigues le cœur », n'osant pas dire combien elles savent, elles, qu'il est vain de vitupérer puisque c'est leur lot, après tout, que de regarder les riches s'enrichir ; c'est leur distribution dans la partie *Et il n'est pas pour demain,* songe Éliane, *le nouveau monde qui changera la donne.*

Mais ce soir, elle peine à suivre les commentaires de l'oncle à propos de l'Algérie. « Qu'est-ce qu'il dit de ça, ton général Chanel ? »

Elle sursaute : « Quoi ?... »

L'oncle, alors : « Ah ! Cesse de prétendre que tu ne sais rien, que tu n'es que la petite secrétaire. Il te dicte son courrier, ses discours ; tu lui passes ses appels, tu tiens son agenda... Et tu ne saurais rien ? »

Elle baisse les yeux, se perd dans les pivoines de la toile cirée.

La broyeuse à papier sert beaucoup en ce moment. Tous les jours, elle y passe un bon quart d'heure. Elle aime cette destruction, elle aime voir les dossiers fondre, leurs feuilles imprimées ressortir en vermicelle. C'est comme un poids qu'on lui ôterait. Elle ne lit pas ce qu'elle va déchiqueter, pas le temps, pas l'envie non plus. Elle regarde les en-têtes et les signatures, c'est tout. Avec le général, on laisse peu de traces. Ainsi la ramette de papier carbone est-elle intacte depuis des mois qu'on l'a livrée : « Aucune copie, jamais », telle est la consigne. Quelle fille s'en plaindrait ? Les copies, ça veut dire trois épaisseurs de papier à traverser, ça veut dire parfois les affreux stencils, ça veut dire des claviers qu'on martèle, ça veut dire des ongles retournés, des doigts martyrisés, des mains tétanisées.

Elle entend Albertine passer dans le couloir, à ses trousses le pas lourd, encore mal assuré, de Myriam. Elle les entend grimper l'escalier puis la porte s'ouvre et l'on entend comme chaque soir le long râle de fatigue.

Elle ne pense pas à son sac – elle ne pense pas que sa mère fait les sacs. Elle songe à l'ennui du dîner qui l'attend, au visage précocement ravagé de sa mère, au silence obstiné, presque hostile, de Myriam. L'oncle a deviné, qui dit : « Reste avec nous. Marthe a fait du gratin, comme tu aimes. » Éliane les embrasse et dit : « Une autre fois, j'ai promis de faire les courses chez l'épicier. »

À son retour, ce n'est pas le couvert du dîner qu'elle voit dressé sur la table, c'est son sac, donc, le contenu de son sac répandu et, au bout de la table, Albertine qui brandit le papier bleu et blanc du laboratoire d'analyses.

La mère ne dit mot, fond sur Éliane, bras levé. Myriam se réfugie dans la cuisine, sous l'évier, où elle se met à hurler. Elle a toujours eu la main leste, Albertine, cette habitude de frapper sans sommations, elle gifle une fois (c'est l'aller), va pour frapper une seconde fois (le retour), mais à vingt ans Éliane est sans doute plus vive : elle intercepte la main au vol, repousse violemment la mère qui manque de tomber et se rétablit le cul sur une chaise.

« Sors de chez moi. Disparais. Efface-toi de ma vue. Je ne veux pas que mon pauvre petit ange ait pour exemple une traînée. *Pas de ça chez moi* », insiste-t-elle, toujours affalée sur sa chaise, de plus en plus congestionnée et hirsute, comme une grande bourgeoise se serait exprimée depuis son boudoir dans quelque demeure à hautes fenêtres et plafonds moulurés à l'or fin, une clochette à portée de main pour sonner la valetaille qui reconduira à la porte sa fille déshonorée.

Ses vêtements, ses papiers, ses livres préférés, Éliane jette tout pêle-mêle dans une valise en moleskine verte et une autre en carton verni. Lorsqu'elle claque la porte sur le palier, le petit ange crie toujours sous son évier, crie ou plutôt égrène d'indéchiffrables incantations.

Elle dévale l'escalier, se réfugie chez Marthe. « Je ne peux pas te garder, dit la tante. Ta mère ne me le pardonnerait pas. Et puis, on n'a même pas un lit de camp à t'offrir. Tiens, voici pour te prendre un hôtel. » D'une boîte à sucre en métal émaillé, elle sort quelques billets qu'elle plie en quatre et glisse dans la poche de sa nièce.

Quel hôtel voudrait donc d'elle ? De la porte d'Orléans à la place Denfert-Rochereau, Éliane erre, une heure, deux heures peut-être, sans pouvoir pousser la porte d'aucun établissement. Sur le boulevard Arago où ses pas hagards l'ont entraînée, elle se souvient que Colette Cordelois habite non loin, au bas de l'avenue des Gobelins.

Un bord de mer

Le 15 août tombait un vendredi. Monsieur Alexandre décida de fermer l'atelier normalement ouvert le samedi et ainsi les employés comme le patron feraient le pont. Trois jours devant soi, en plein cœur de l'été, quand on n'a pas pris de vacances, c'est bien appréciable, disait Paule. *Bobby* (c'était le prénom de monsieur Alexandre), *Bobby m'emmène dans sa villa de la côte normande et tu es invité, Dédé. C'est très gentil à lui. Il t'a à la bonne, il croit en toi. Ne va pas le dire à tes collègues, hein ! Ils en prendraient ombrage, tu sais comme les gens sont jaloux... Viens avec ta petite amie, si tu veux... comment l'appelles-tu déjà ?... Iliana ? Quel drôle de nom. C'est russe, ça ? Ils sont communistes dans la famille ?...* Toujours ce flot ininterrompu, ce coq-à-l'âne continuel qui donnait la migraine ou soûlait l'auditoire, comme s'il fallait non pas tuer le silence mais dompter le fracas intérieur, la bête rugissante en elle, qui convulsait nuit et jour.

Le voyage en side-car – des heures et des heures d'un incessant tape-cul – rata son effet sur Éliane. Collée au macadam, elle eut peur d'être écrasée par les roues des camions, elle détesta sa position inférieure, en dessous du conducteur et comme détachée de lui. Pire, l'odeur chavirante du blouson de daim lui manqua, l'odeur de la nuque d'André où elle nichait son nez quand ils roulaient à Vespa. Les gens dans les voitures les regardaient telles des créatures de foire et souriaient. D'autres, envieux peut-être, les dévisageaient d'un œil amer.

La villa de Trouville non plus ne tint pas ses promesses : passé les jolies haies de tamaris et de troènes, on poussait la porte d'un salon plongé dans le noir puant la souris crevée, le bois humide, le linge moisi, et, lorsqu'on avait fini d'ouvrir les hautes persiennes, les lieux surgissaient dans toute leur laideur : des meubles de campagne écrasants, des tentures caca d'oie et des rideaux kaki, *tout ça si triste, si cafardeux*, chuchotait Éliane à l'oreille d'André, *que c'est à se tirer une balle dans la tête ou se jeter à la mer avec du plomb plein les poches*. André acquiesça : elle ne croyait pas si bien dire. Cette maison était la signature de madame Alexandre. Oui, Bobby avait une épouse, une femme mystère qui ne l'accompagnait jamais et vivait recluse dans leur appartement montmartrois, neurasthénique, disaient les plus anciens de l'atelier qui l'avaient croisée autrefois, et suicidaire en effet.

Lorsque Bobby distribua les quatre chambres du premier étage (oui, chacun avait la sienne, même la maîtresse en titre, afin de sauver on ne sait quelles apparences), Paule indiqua aux jeunes invités une porte condamnée et, vrillant un index à sa tempe, elle articula à voix basse : « La chambre de Madame. »

Il fut décidé qu'on passerait les trois jours dehors, à la plage ou en ville – le plus loin possible du mausolée.

Ce vendredi soir, il y avait foule sur le port. Uniformément accoutrés de blanc et de bleu marine (pour les uns la tenue de tennis, pour les autres la marinière, le caban et la casquette d'amiral), les Parisiens faisaient une razzia sur les terrasses et dans tous les restaurants. Les files d'attente s'étiraient sur les trottoirs mais avec monsieur Alexandre on était à l'abri des problèmes de la populace : il avait ses entrées dans la meilleure brasserie du port et on libéra pour lui l'une des tables les plus prisées.

Deux Anglaises à la table voisine, aucun serveur pour leur traduire la carte. Éliane proposa d'aider. Elle prit son temps, se débrouilla très bien avec le *veal liver*, les *spinach*, les *steamed potatoes*, les *shrimps*, les *mussels*, les *dozen of oysters* et, si un mot venait à lui manquer (« Je l'ai sur le bout de la langue, c'est rageant »), elle mimait le homard, le crabe qui marche de côté, faisant se tordre de rire les deux tablées et même au-delà, une bonne moitié de la salle. André en était fou, mais ne le savait pas.

« Vous êtes douée pour les langues, dit Bobby.

— Je me débrouillais bien. J'aurais adoré faire du russe » (on peut imaginer Paule se félicitant in petto : *Une communiste, j'avais visé juste*) « mais le russe n'existait pas dans mon lycée. L'anglais, oh... Ce n'est pas si difficile.

— Raconte ! suppliait André.

— Raconter quoi ?

— L'Angleterre. Le mariage. »

Lauréate d'un concours de version anglaise avec une centaine d'autres lycéennes françaises, Éliane avait été invitée aux fêtes du couronnement d'Elizabeth II. André écouta

– fasciné, inlassable – un récit qu'il connaissait par cœur. Il passa son bras sur les épaules de son amoureuse et lui baisa la tempe : il pouvait la voir, fervente, agrippée aux barrières de sécurité des abords de Westminster, et c'était comme si l'adolescente avait reçu au passage du carrosse royal quelques éclaboussures du sang noble, quelques éclats de majesté.

Le patron de la brasserie avait offert un digestif aux hommes et une liqueur à Paule puis, pour remercier Éliane qui ne buvait pas d'alcool, il prit un lis immaculé dans le bouquet qui trônait sur le comptoir d'acajou et le lui offrit. Elle en rosit d'émotion. Attendri, le bonhomme guetta l'instant où les clients se levaient pour partir, il rafla tous les autres lis du bouquet et les tendit à la jeune femme. « Merci », murmura-t-elle, puis, se hissant un peu plus sur ses talons, elle déposa un baiser furtif sur la joue du patron.

André (le Dédé en lui) avait pâli d'un coup. Dans le silence de la voiture, on pouvait entendre ses dents grincer. Il les desserra enfin : « Qu'est-ce qui t'a pris de sauter au cou de ce type ? » Éliane choisit de ne pas répondre. Paule aussi rageait, mais d'une autre forme de jalousie : « Quelle puanteur, ces lis. Ça lève le cœur. Ouvrez votre vitre, Bobby, et toi aussi, Dédé. » Les quatre vitres étaient déjà ouvertes. Alors elle cria : « Arrêtez-vous, Bobby. Puisque je vous dis que je suis malade. Je sens que je vais rendre mon dîner. » Elle ouvrit sa portière, pencha la tête au-dehors, en vain. À l'avant, les deux hommes soupiraient, marquant leur exaspération. Monsieur Alexandre remit le contact, Paule se rassit sur son coin de banquette mais, avant de refermer sa portière, elle arracha les lis des bras d'Éliane et les jeta dans le caniveau. « Il faut te le dire comment, petite conne, que j'aime pas l'odeur des lis ? Que c'est à vomir. »

Cette fois, c'est le frère qui s'en prit à sa sœur, exigea des excuses pour Éliane, et l'électricité monta dans la voiture à des voltages dangereux. Monsieur Alexandre fit cracher son moteur et, sans consulter personne, roula pleins gaz jusqu'à Deauville et le boulevard de la Mer, où il pila devant le casino. Le coup de frein fut si brutal que Paule en perdit la voix. *Si seulement elle avait pu avaler sa langue du même coup,* songeait Éliane.

« Qu'est-ce que t'as à me regarder comme ça avec tes grands yeux noirs ? Tu crois me faire peur ? Tu vas me gifler ? Essaie seulement. Mon frère se prend pour un dur et veut des excuses ? Eh ben, tiens, na, voilà : mes plus plates excuses, princesse. » De la sœur, elle n'avait eu à connaître jusque-là que la bienveillance, une gentillesse complice, un peu extravagante, certes, mais qu'elle ne pouvait soupçonner de fausseté, encore moins de haine travestie.

*

Dès leur deuxième rendez-vous, au bal de Robinson, Éliane avait prévenu son cavalier si bon danseur : « Je vous dois la vérité, André. Je n'aime pas le jeu, encore moins les jeux d'argent. Il ne faudra pas me forcer à m'intéresser à votre travail. » Aussi, André s'excusa auprès de son patron.

« Je crois que nous allons marcher sur la plage. Il fait si bon.

— Joue les tourtereaux si tu veux. Je voulais te montrer

leur parc de machines à sous. Je te parle des vraies machines à sous, les bandits manchots, pas toutes ces machines infantiles et de peu de rapport qui nous font vivoter, nos flippers, nos scopitones et nos juke-box. Comprends-moi, mon garçon, les baby-foot ça m'emmerde. J'ai d'autres ambitions, et pour moi, et pour toi. Je n'ai pas de fils, tu piges ? Un de ces quatre, tu m'accompagneras à Chicago, c'est comme notre Mecque là-bas, on importera ce qu'il y a de plus récent, le dernier cri, la crème de la crème. On sera les rois de la pampa, si tu veux bien. »

À cet instant, Éliane saisit le bras d'André et, désignant une riche voiture d'où descendait une jeune femme en robe du soir blanche, souffla entre ses dents : « C'est Sagan. » André haussa les sourcils et pencha de côté la tête comme font les chiots interloqués : *Ça quoi ?*

Monsieur Alexandre la reconnaissait, lui aussi : « Oh !... La fille qui fait des romans ? Elle est là tous les soirs d'été, et chaque week-end le reste de l'année. Une accro. » Tête baissée, la romancière foulait d'un pas vif le tapis rouge et disparaissait bientôt, engloutie par l'océan de lustres. C'est ainsi que, pour la première fois de sa vie, bravant ses propres interdits, Éliane entra dans un temple de la débauche, là où tout n'était que lucre et luxure.

« Elle a une sacrée chance, cette fille. À croire qu'elle est née coiffée. Tout ce pognon raflé à son âge.

— Pourquoi ce serait seulement de la chance ? Elle a un grand talent, protesta Éliane. Si ses livres se vendent par millions, ce n'est pas de la chance, c'est du travail, du beau travail.

— Faut pas me houspiller, mon petit. Je parlais de

chance au jeu. Ce n'est pas l'argent des livres qui a payé la Ferrari, c'est la roulette. Elle l'a achetée cash un matin, après avoir gagné elle a filé direct du casino chez le concessionnaire à Caen. Enfin, c'est ce que dit la rumeur.

— La légende, plutôt », souffla Éliane.

Le soleil se levait. Ils avaient retiré leurs chaussures pour courir dans l'eau, les hommes avaient retroussé leurs pantalons au genou et les femmes remonté leurs robes en les serrant sur leurs hanches. Tous avaient beaucoup trop bu – et Éliane, qui ne buvait jamais, était partagée entre fou rire et peur de mourir. André la raccompagna à sa chambre.
« Bon, je te laisse. Dors bien, bébé.

— D'accord. Toi aussi », murmura-t-elle, mais elle semblait déçue.

« Tu veux que j'entre ?

— Je n'ai pas envie de rester seule.

— J'entre ?

— Oui. Non. En tout bien, tout honneur, alors ? »

. . . .

Étaient-ils seulement compatibles ? Il était amoureux dans la vie, amoureux d'un pays, l'Amérique. Pour voir briller ses yeux turquoise, pour voir enfin ses lèvres incirconcises s'animer et son phrasé si pataud devenir volubile, il fallait le faire parler de New York, de Vegas et de Chicago, donc, la ville des fabricants de machines à sous. Elle, rêvait de Méditerranée, de palais italiens, de théâtres grecs et d'alhambras andalous. Il était fou d'admiration devant Marlon Brando, James Dean et Elvis Presley. Elle, rêvait de voir un jour

Gérard Philipe sur scène, elle aimait Maria Casarès, Anna Magnani et Jean Cocteau. Il ne tenait pas en place (« Me demande pas, bébé, de devenir un de ces types casaniers qui suent l'ennui. J'en mourrais, si je ne bouge pas »), et tout son projet se réduisait donc à fuir, émigrer en Amérique, là où tout est géant, rapide, trépidant – là où les jeunes gars comme lui avaient leur chance, même les mauvais élèves.

Éliane avait saisi l'occasion de lui rappeler sa terreur de l'école et ses difficultés d'apprentissage : « Mais tu ne parles pas un mot d'anglais. Comment ferais-tu là-bas ? » Et lui, ses yeux bleus incendiés, de rétorquer avec sa joie enfantine : « Tu parleras pour moi. »

Parler pour lui. C'était souvent qu'il fallait parler pour lui. Car André ne s'exprimait pas : on lui arrachait des renseignements sur lui-même, on lui soutirait des aveux sur ses sentiments, ses goûts, ses détestations et ses rares hantises. Tout était lisse. L'enfance se résumait à ses parties de foot, à l'école buissonnière permanente, quelques chromos façon Doisneau ou Becker, un paradis pour gamin de Paris, en somme, dont l'acmé était sa fugue américaine un soir d'août 44 : plusieurs véhicules alliés étaient garés porte d'Orléans, il avait choisi un camion bâché, s'était faufilé à l'arrière et endormi sous une banquette, aux pieds des soldats yankees ivres morts après des nuits de fête. Au petit matin, ils avaient à peine dessoûlé et entraient dans Orléans (ou Chartres, ou Tours…, la légende familiale flottait à ce point de détail du récit) lorsqu'ils entendirent l'enfant bâiller et s'étirer sous la banquette – un garçon de quatre ans sans papiers sur lui, qui ne connaissait ni l'adresse ni le téléphone de ses parents, et bien sûr pas un mot d'anglais…

Oui, c'était encore un os à remâcher dans les insomnies. *Est-ce qu'on va bien ensemble ?*

Ils avaient bien deux ou trois plaisirs en commun, comme celui d'aller au bal, mais même à l'intérieur de la danse on négociait. Pour lui faire plaisir, elle dansait le rock avec lui, un rock souvent acrobatique (ils étaient de merveilleux danseurs, de l'avis de tous les copains, c'est sur le plancher d'une piste qu'on les voyait former un vrai couple, un véritable unisson), mais ce qui la rendait heureuse, ce qu'elle attendait toute la soirée, c'était l'arrivée des tangos. Les tangos étaient pour elle, ils étaient faits pour ses chevilles fines et souples, pour ses jambes fuselées et sa taille étranglée dans de hauts ceinturons, ils étaient faits pour ses talons aiguilles, ses jupes noires entravées et ses robes fourreaux, faits pour ses chignons sévères, ses yeux noirs, son visage nu sans autre fard qu'un trait d'eye-liner, du rimmel et un soupçon de brillant à lèvres. Avec son blouson noir cintré, ses bottines pointues, sa frange blonde roulée et gonflée en haut du front comme si on y avait laissé un bigoudi, André, lui, avait tout d'une gravure du rock.

. . . .

C'est juin. Tandis qu'André retape le logis d'Albertine, il faut que la radio soit branchée en permanence : c'est la Coupe du monde de football qui durera presque tout le mois de juin (*interminable*, pensaient les femmes sans oser le dire, et même l'oncle se taisait, pour qui le sport était une activité suspecte sinon stupide), et tout ce mois, donc, les soirées résonneront des commentaires abscons de journalistes qui n'ont pas l'air d'imaginer une seconde qu'on puisse vivre sans savoir ce qu'est un penalty, un hors-jeu, un dribble, et même un but. L'enthousiasme sera porté à son comble le mardi soir de la demi-finale opposant la France au Brésil. Les deux idoles d'André jouent ce soir-là, deux attaquants dont il prononce les noms, Just Fontaine et Kopa, la voix nouée d'émotion. Hélas, la joie des premiers buts français passée, un prodige brésilien apparaît sur la pelouse, un certain Pelé, dix-sept ans, qui devient le bourreau de l'équipe française et écrase le match de ses trois buts.

André a blêmi, ses poings sont serrés de chaque côté de son assiette ; il a cessé de manger et des larmes roulent dans ses yeux. (Il s'est bien gardé de commenter le jeune âge du joueur brésilien, le même que le sien, car il se sent remué par un sentiment moche et aurait peur de se trahir s'il ouvrait la bouche. Ce sentiment pénible, mélange de dépit et d'envie, ses yeux humides l'expriment en silence.) Éliane l'observe sans comprendre cette *passion* nourrie pour un jeu de ballon, cet infantilisme, lui semble-t-il. *Est-on seulement faits l'un pour l'autre ?* La question irritante a de nombreuses déclinaisons : *À part la joie de danser, qu'est-ce qu'on partage ? Il s'endort au théâtre, il bâille au music-hall – et jamais je n'irai au stade avec lui. Il ne parle que de voyages, d'Amériques et d'aventures ; pour rien au monde je ne quitterais Paris. Qu'est-ce qu'on fiche ensemble ?*

. . . .

Ceci alors, un week-end après Trouville. Elle voulait voir le film russe dont les journaux et les radios parlaient depuis le festival de Cannes, un drame magnifique, disait la critique unanime. André fit la moue. *Drame magnifique*, ça sonnait faux et louche à ses oreilles, deux mots pas faits pour coller ensemble.

Depuis son enfance, il assistait aux drames de sa sœur et ça n'avait rien de magnifique : des simagrées, des pâmoisons, des crises – *du cinéma*, résumaient les gens du quartier, *et du très mauvais*.

Il s'était assoupi très vite, tant ça l'ennuyait cette histoire de femme dont l'homme est au front, tellement ça l'indifférait, le malheur des Russkoffs et plus encore celui des cocos – tellement il aurait préféré retourner au bal de Robinson ou au bowling sur la Nationale.

Quand passent les cigognes – André s'en moquerait longtemps auprès des copains. Quel drôle de titre pour un film si triste. Et si compliqué. « J'en ai encore mal au cœur tellement ça tourne, ça saute, ça plonge, à vous donner la Saint-Guy. Et puis, ça veut dire quoi de filmer en noir et blanc quand enfin on a la couleur ? » Comme beaucoup de ceux de sa génération, André confondait nouveauté et progrès. Éliane, elle, c'était différent, elle aimait les choses du passé, les films en costumes (mais pas trop les westerns), les romans interminables, les tragédies où des gens aux prénoms bizarres, rois et reines de contrées se maudissent pendant des plombes en parlant une langue où il faut le dictionnaire tous les trois mots, elle aimait ça et la grande musique, Brahms et Chopin, des airs qui font pleurer car c'était sa manie singulière, son désir incompréhensible : un bon livre, un bon film, c'est un roman ou un film où l'on pleure à la fin.

Oui, on pleurait à suivre la belle actrice tout de blanc vêtue, les bras chargés de fleurs d'été, qui cherchait des yeux sur un quai de gare son amant de retour du front ; la foule des uniformes et des fiancées était si épaisse, les couples si fort enlacés au bonheur de leurs retrouvailles que Tatiana, les yeux noyés, peinait à fendre la populace en liesse. Soudain elle comprenait que son amant ne reviendrait pas, qu'il était mort. Elle levait ses beaux yeux noirs vers le ciel d'été où passait, formant un V parfait, le V de la victoire, un vol de cigognes... Éliane avait connu ça, enfant, ce n'était pas la gare centrale de Moscou, non, c'était la gare d'Orsay à Paris : comme la belle actrice aux bras chargés de lis et de fleurs des champs, Éliane, huit ans, serrait sur sa poitrine maigre un bouquet de fleurs arrachées aux talus et aux plates-bandes du parc Montsouris, des fleurs pour les offrir au soldat de retour, son soldat de père qui reviendrait d'Allemagne avec tous les autres prisonniers de guerre. À elle aussi on avait menti : personne sur les quais de la gare d'Orsay qui ressemblât à son père, même amaigri, même vieilli. Personne qui eût les yeux verts du jardinier. Des dames en tailleur sombre et portant un brassard à croix rouge la pressaient de questions, où était sa maman, pourquoi elle n'était pas à l'école. Les quais s'étaient vidés et c'était le dernier convoi, assuraient les dames, le tout dernier. L'une des dames avait reconnu la fillette qui venait depuis des jours, déjà, se mêlait à la cohue et attrapait par le bras les hommes épuisés pour les dévisager. Tout le monde était rentré maintenant, dit la dame. Et toi aussi il faut que tu rentres chez toi. Les greniers à pères de l'Allemagne nazie étaient vides, ayant recraché tout leur contenu.

Ce soir-là, elle ne sait pas encore qu'elle est enceinte de l'homme qui dort, la tête sur son épaule – et sa tête est lourde pour la fine épaule d'Éliane. Elle ne peut imaginer l'ironie terrible de ce titre de film, ce calembour presque odieux. « J'ignorais que les cigognes étaient passées pour moi et qu'elles m'avaient livré le plus bel enfant du monde », dirait-elle neuf ans plus tard, rieuse, un soir qu'elle emmènerait l'enfant voir son film préféré dans une petite salle des Gobelins.

Ils perdent leur virginité tous les deux la même nuit.

Ils la perdent ensemble, ignorant presque tout des gestes et des dangers – sans parler du plaisir introuvable.

Et ils n'auront pas le temps de recommencer, pas le temps de le refaire, cet amour, de l'éprouver, de le réprouver, que déjà ils seront parents en puissance, propulsés dans l'âge adulte avec ce glaive sur leurs têtes, ce poids de décider si l'on tranchera la troisième vie ou si on la sauvera.

La cité de l'air

Débarquer comme ça, grossie de dix kilos, dans un lieu inconnu où tout de suite les autres filles vous mettaient en joue, débarquer en annonçant – sans qu'il fût besoin de le dire puisque le premier regard se portait sur son ventre et le second sur sa main gauche privée d'alliance – « Je suis enceinte et je suis seule », débarquer en regrettant si fort son précédent poste qu'on ne peut cacher combien le nouveau vous dégoûte, vous humilie, vous déclasse, c'est ce qui arrivait à la jeune femme perdue.

Il avait raison, Chanel, c'était triste, la cité de l'Air. Triste et glaçant.

D'abord, il y avait cette cour immense battue à tous les vents, et, au milieu de cette cour, le mât blanc où flottait le pavillon hissé chaque matin, redescendu chaque soir sur fond de cuivres tonitruants et rarement justes, *chaque matin être arrivée pour le lever des couleurs*, c'était la première consigne qu'elle avait reçue, et tous, civils aussi bien que militaires, cessaient de bouger et de parler dès que retentissait les premières mesures de la sonnerie au drapeau, ils restaient là, plantés au milieu de nulle part tels des soldats de plomb mal distribués, leurs gestes suspendus, la tête tournée vers ce mât au pied duquel deux pioupious empruntés, impressionnés par les spectateurs peut-être, faisaient grincer les poulies et se déployer enfin le bleu, le blanc, le rouge. C'était la guerre – ici, pas question de l'oublier, du matin au soir on vous le claironnait, on vous le trompétait, quand ce n'était pas la sonnerie aux morts qui, sépulcrale, retentissait dans la grand-cour en hommage à ceux qui venaient de tomber quelque part de l'autre côté de Gibraltar.

C'en était fini de l'antichambre feutrée du *93*. Fini les lambris et le cuir, fini les beaux meubles anglais et les lampes opalines. Fini la chaude odeur de cire d'abeille.

L'odeur avait changé, c'était peut-être ça, le plus frappant, qui vous sautait à la gorge, qui rendait le décor tout à fait hostile. On naviguait là dans les couches subalternes du ministère de l'Air, dans des vapeurs d'alcool à brûler, sur des linoléums récurés au crésyl de sorte que ça sentait partout les chiottes désinfectées. Dans les bureaux géants où l'on parquait les dactylos (soit huit rangées de cinq employées tapant à la chaîne dans le bruit assourdissant de leurs quarante machines), c'était dès le matin la bagarre, le grand chahut entre les eaux de toilette des filles, certaines exubérantes, d'autres fleuries, puis, les heures passant, c'est l'odeur du travail qui reprenait le pouvoir, odeur d'encre d'abord, encre bleue des stylos plume et encre sèche des rubans, et si la chaleur venait à grimper, c'est le papier carbone qui surnageait, le carbone au parfum opiacé qui tourne la tête.

Éliane en venait à regretter les cigares de Chanel et les

Gitanes de Cordelois, surtout en fin de journée, quand ce qui dominait dans l'air vicié, écrasant tous les autres effluves, c'était la sueur, la sueur aux multiples notes, aigre, musquée, fauve ou simplement puante. Elle retrouvait ce qu'elle avait cru fuir à jamais avec le *93*, retombée dans la misérable arène des pools où des filles payées trois fois rien rivalisaient de zèle et de vitesse pour être remarquées par la chef de groupe et qui sait ? par le commandant lui-même, peut-être. Chaque matin, elle poussait la porte du pool en réprimant une envie de pleurer ou de tout casser. Ses premiers gestes étaient d'accrocher son manteau à un cintre puis de filer avec son sac à main aux toilettes, où elle se repoudrait les aisselles. Elle répétait ce geste trois à quatre fois dans la journée, tant était grande sa terreur de sentir sous les bras et de passer pour négligée. Non, les filles ses collègues ne sentaient pas bon.

C'était triste, la cité de l'Air, et triste tout autour, ces trottoirs trop grands où personne ne marchait, ce boulevard Victor jalonné de bars à troufions, des bars enfumés, graillonneux et glacials. Colette était venue déjeuner avec son ancienne protégée, en repérages si l'on veut, et celle-ci avait compris : Colette ne rejoindrait pas son exil dans ce quartier reculé. Elle prétendait avoir passé plusieurs coups de fil à différentes directions du ministère, postulé à deux ou trois emplois de secrétaire en chef, mais la vérité est qu'elle n'avait jamais demandé sa mutation, pas même évoqué son départ auprès de Chanel. Éliane le savait, Colette savait qu'elle savait. *Les mensonges et les petits jeux, ça suffit maintenant, ça suffit vraiment.* Si Colette elle-même racontait des bobards et la lâchait, à quoi bon ? Fini la foi en l'amitié. Fini les fous rires, le réconfort les soirs de cafard et cette connivence qui se passait de mots.

« Comprends-moi, trésor, je n'ai plus vingt ans. J'apprécie de bosser à cinq minutes de bus de chez moi. Pour venir ici, il m'a fallu trois quarts d'heure et deux correspondances. C'est barbant, à mon âge. J'aime mon confort. Oh là ! Je vois que tu m'en veux.

— Je ne vous en veux pas. Je suis au bout du rouleau, Colette, tellement lasse que je n'éprouve rien.

— Je serai là, j'ai promis. Quand arrivera le grand jour, tu pourras compter sur moi. »

Ici, Éliane haussa les épaules.

« À votre tour, ne le prenez pas mal : j'ai ma mère maintenant, j'ai ma mère et ma tante.

— Mais je reste la marraine du bébé, n'est-ce pas ? Je serai une marraine épatante, crois-moi. Je m'en fais une telle joie. »

Éliane hocha la tête sans dire oui ni non, Colette écrasa sa cigarette dans le cendrier débordant. Songeait-elle seulement que tout ce tabac ça vous donnait la nausée, que la fumée était un poison pour les femmes enceintes ? Elles se séparaient sur le trottoir, face à face dans le froid. *Ne songe qu'à sa pomme, ne songe qu'à sa peau – sa vieille pomme flétrie de vieille fille hors d'usage.* Lorsque Colette s'approcha pour l'embrasser, Éliane sentit ses mains se serrer au fond de ses poches puis elle crut voir ses gants noirs enserrer le cou de son amie et l'étrangler. Elle lui rendit son baiser, une fois, deux fois. Tandis que Colette s'éloignait de son pas vif et élégant, Éliane jeta un dernier regard au dos envisonné de l'ancienne amie. *Il n'y aura pas de marraine, il n'y aura pas de parrain. Ni Trinité ni saint-frusquin. Il y aura nous, mon enfant et moi. C'est tout.*

La fatigue s'était installée avec les premiers kilos, une fatigue de chaque instant qu'aucun repos ne pouvait réparer. Ce nouveau boulot ingrat n'arrangea rien. Plus encore que la cadence exigée, c'était le bruit qui flinguait, ces quarante claviers formant un tel vacarme qu'il fallait hurler pour dire un mot à sa voisine. Le soir, longtemps après avoir quitté le travail, il vous en restait quelque chose, des bourdonnements ou des stridences – des migraines aussi.

Et puis il y avait les six étages, de plus en plus hauts à monter, une ascension qui virait à la torture quand les bras étaient chargés, une main pour les vivres et les ramettes de papier machine, l'autre main pour le lourd bidon de kérosène, cinq litres à porter et c'était souvent : en cet hiver rude, dans cette mansarde à la lucarne disjointe où les vents et la pluie s'insinuaient, le poêle ronflait continûment et les bidons filaient, brûlés à une vitesse prodigieuse. Peu à peu, elle prit l'habitude de faire une pause sur le palier du troisième afin de reprendre son souffle. Un jour, sans qu'elle sache de quel occupant à l'étage cette attention pouvait venir, elle trouva sur le palier un tabouret.

Elle avait eu son premier rendez-vous chez l'obstétricien de la polyclinique privée de la Vache-Noire, à Arcueil, un établissement flambant neuf qui ne lui inspira que méfiance, mais c'était comme si elle s'interdisait d'accoucher dans les maternités historiques du 14e arrondissement, Port-Royal où sa mère l'avait mise au monde, Notre-Dame-de-Bon-Secours où le fils des bouchers était né. Comme si elle ne méritait pas les meilleurs soins. Comme si ce mot de « privée » pouvait les protéger, elle et son secret, alors que les maternités publiques auraient sans doute publié son bulletin de santé à la une des journaux et dans toutes les mairies de ce département géant de la Seine.

« Vous ne dormez pas ? C'est quoi, cette mine de déterrée ? Vos cernes vous mangent les joues. C'est pas bien. » Le type avait de si vilaines mains, épaisses et noueuses, que le dégoût lui vint, tout proche de la panique. « Tension à huit ! Ça me plaît pas. Vos analyses de sang sont incohérentes. Votre examen clinique n'éclaire rien. Il faut bouffer. Faim ou pas, nausée ou pas, il faut tortorer. Vous m'écoutez ? »

Pourvu... Oh ! Pourvu qu'il gare ses mains, qu'il les tienne loin de moi.

« Quoi ? Vous chialez ?... Je voulais pas vous faire de peine. Vous chialez souvent comme ça, pour un oui ou pour un non ?

— J'ai toujours eu une tension basse. Huit, c'est l'ordinaire chez moi.

— Peut-être, mais d'ordinaire vous n'êtes pas enceinte. »

Elle avait ouvert son agenda de poche, fait semblant d'y noter le rendez-vous suivant, songeant à tout ce temps devant elle – assez de temps pour changer de médecin accoucheur, pour en trouver un qui n'ait pas des mains d'assassin.

*

Elle fit sa connaissance dès les premiers jours. Tout frais sorti de l'École de l'air, c'était un sous-lieutenant qui faisait fonction d'ordonnance, pour ne pas dire de factotum, auprès du général à la tête de la DCMAA.

On les connaissait, ces jeunes officiers intrépides et un peu trop sûrs d'eux, il en venait souvent au *93* pour y rencontrer le général Chanel, leur idole (« Ils ne touchent plus terre », raillait Colette quand l'un de ces gommeux la traitait avec mépris), leur ton était sec et leurs ordres cassants (« On ne me traite pas comme une bonniche, ruminait-elle en avalant son dixième café de la journée, je vais vite les faire atterrir, crois-moi »), et on leur obéissait parce qu'ils étaient soit des enfants de la Haute à qui l'autorité était naturelle, infusée au sein avec le lait maternel, soit des rejetons du peuple propulsés là par un labeur acharné et une forme de génie, peut-être, qui leur avaient valu des bourses d'études et des protections philanthropiques – ainsi le sous-lieutenant Delor dont les parents étaient ouvriers viticoles, des gens simples, disait leur fils, et illettrés.

Ce matin où il poussa la porte du pool, une bonne vingtaine de paires d'yeux se détachèrent de leur chariot d'impression pour se lever vers lui ; il alla saluer la nouvelle recrue et lui tendit ce qu'il appela un texte, qui n'était qu'un tissu de ratures, de taches d'encre et d'annotations microscopiques dans les marges. Éliane dit merci et regretta aussitôt : il fallait vraiment être cruche pour dire merci à ça. Le jeune homme planta ses yeux noisette dans les siens (*Noisette pailletés d'or*, s'avisait-elle, troublée), et il confirma : « C'est plutôt moi qui devrais vous remercier d'accepter un tel torchon.

— Il vous faut ça pour quand, Lieutenant ?

— Pour avant-hier. »

C'était une réplique mille fois entendue, une scie un peu balourde dans la bouche des autres supérieurs ; dans celle du lieutenant, elle semblait comme neuve, inventée à l'instant et pleine d'un charme potache – un mot irrésistible, quoi.

Ayant perdu sa meilleure amie, y gagnerait-elle un soupirant ? C'était bien la dernière complication dont elle avait besoin. (« Méfie-toi, avait dit Colette lors du dernier déjeuner. Méfie-toi d'une certaine race de bonshommes qui ont un penchant pour les femmes enceintes. ») Le midi où l'officier l'invita à La Chope, la seule brasserie fréquentable du boulevard Victor, elle voulut mettre les choses *au clair* et ne fit qu'être maladroite.

« Je vous préviens, Lieutenant, je ne veux de personne dans ma vie en ce moment. Vous avez vu mon état. N'allez pas vous mettre je ne sais quoi en tête.

— Vous n'avez pas besoin d'un ami ? C'est sûr ? » (Sa voix était si douce, si rassurante. Une voix qui n'avait nul besoin de gronder ou de forcer le trait pour impressionner.) « Moi, je ne vous connais pas, pas encore, mais j'ai comme dans l'idée que vous auriez bien besoin d'un ami, justement. Que ce ne serait pas du luxe. »

Éliane baissa les yeux sur son café, se mordit le dedans des lèvres. « Il paraît que ça n'existe pas, entre hommes et femmes. Que l'amitié entre un homme et une femme, ça n'est pas possible.

— Qui dit ça ?

— Tout le monde le dit. C'est un truc admis. »

Il avait souri, attendri, *mais pas comme un ami s'attendrit et vous sourit.*

*

C'est lui, l'officier aux yeux mordorés, qui le premier comprit qu'elle valait mieux qu'un poste abrutissant et une méchante chaise en bois.

Il s'appelait Delor comme pour aller avec ses yeux. André Delor.

Depuis qu'elle était tombée amoureuse d'un André, il en poussait partout. Tous les hommes s'appelaient André – même le nouveau fiancé de la voisine Fatna, un gentil gars, prêt à se mettre en ménage avec elle malgré ses trois enfants en bas âge. Au début, les André avaient tous l'air gentil, c'était le trait saillant du prénom.

André Delor n'était pas grand, pas très étoffé non plus, moins spectaculaire que le fils des bouchers, mais Éliane aimait sa minceur, justement, sa carrure étroite et ses cheveux bruns épais qui donnaient envie d'y plonger les doigts. Son visage était si bien dessiné – des traits fins et réguliers, un teint mat et lisse – que, sans la ligne de sourcils noirs qui le barrait martialement, il fût sans doute passé pour un visage de fille. Il avait cette peau éternellement dorée de ceux qui ont grandi au soleil. L'hiver n'affecte pas leur belle mine.

Il venait d'Oran. (Le mot fit frissonner Éliane et assombrit sa joie tel un sale nuage dans l'azur parfait. C'est par ce mot que le fils des bouchers l'avait abordée au bal : « Vous êtes oranaise ? » Elle avait dit non, vexée, comme chaque fois qu'on doutait de son origine et donnait ainsi raison à Albertine, cette mère blonde et pâle qui n'avait jamais pu appeler sa fille autrement que du sobriquet de pruneau ou de poussin noir, qui n'avait jamais trouvé sa fille jolie et n'avait pas plus fait l'effort de lui mentir. Le danseur blond avait souri, exagérément souri comme tous ceux qui savent qu'ils possèdent là leur arme la plus sûre : « Ce sont les plus belles, les filles d'Oran. » Il s'était penché sur elle, avait déposé un baiser sur son front. S'ensuivirent deux ou trois banalités d'usage. Quelques minutes plus tard, c'est elle qui, basculant la nuque en arrière, lui tendait ses lèvres.)

Oran, insistait le lieutenant, *ma ville chérie* – et le sale nuage persistait, qui privait Éliane de ce plaisir secret qu'on trouve à écouter quelqu'un se confier, quelqu'un mais pas n'importe qui : seule pourra nous donner ce plaisir une personne dont nous recherchons l'intimité totale, une personne chez qui tout nous passionne, jusqu'à l'anecdote la plus plate, jusqu'au détail le moins signifiant, en un mot une personne que nous désirons. C'est ce coin du tableau que le nuage révéla en se dissipant.

Delor avait une Simca Sport décapotable dont il était très fier, noir métallisé avec intérieur en cuir havane. Éliane n'avait jamais rien vu d'aussi chic, d'aussi excitant que ce carrosse noir à deux places. La question des chevaux sous le capot la concernait moins, jusqu'au soir où elle accepta enfin que l'officier la raccompagnât porte d'Orléans. Elle était à peine installée que le petit bolide eut un hoquet et démarra dans un hurlement de pneus. Avec leurs vieux pavés défoncés, les boulevards des Maréchaux n'étaient pas la piste de décollage la plus rassurante. De sa main droite, Éliane retenait le foulard noué sur sa tête, de la gauche, elle empoignait le bras du conducteur et le perforait de ses cinq ongles pour l'obliger à ralentir.

C'est lui, l'aviateur, qui l'aida à admettre qu'elle était belle, désirable mais pas seulement pour être mise dans un lit, non, désirable pour être regardée, dévorée des yeux et chérie. « Vous êtes encore plus belle sans maquillage », insistait-il – et elle lui devait cette fière chandelle d'avoir osé jeter un matin les tubes de fond de teint, les blushs, les poudriers, tous plâtrages dont elle détestait s'enduire et sous lesquels elle se sentait étouffer. *Bon débarras*. Ce geste de rien du tout lui procura un sentiment de liberté si vif, si enivrant, qu'elle s'en étonna et se demanda s'il n'y avait pas dans sa vie commençante d'autres ménages à faire.

Sans le lieutenant, elle n'aurait peut-être jamais su ce qu'elle valait au juste. Avant lui, au temps du *93*, elle ne mesurait pas combien ces gens, le général Chanel et la première secrétaire Cordelois avaient besoin d'elle, non seulement de son exceptionnelle vitesse en sténo et en dactylographie, mais aussi de ses capacités en orthographe et en grammaire, elle qui corrigeait sans rien dire les notes confuses et charabiesques qu'on lui donnait à taper, qui reprenait les tournures fautives qu'on lui dictait, qui arrangeait les phrases mal fagotées, les expressions trop martiales – bref, elle qui faisait d'un général cinq étoiles mais zéro en français un lettré convenable. Son anglais aussi faisait impression et le directeur de l'Aviation civile n'était pas peu fier d'avoir à ses côtés une interprète personnelle lorsqu'on lui passait au téléphone son homologue à Londres ou Washington.

Et on l'avait rétrogradée.

Avant de partir au feu, André Delor recommanda Éliane au général Hervieu, le patron de la très stratégique Direction des matériels de l'Armée de l'air, un bonhomme au teint gris, d'allure souffreteuse, qui vivait comme un déshonneur de rester à l'arrière tandis qu'on se battait ailleurs. Il n'était pas méchant, pas stupide non plus, comme le découvrirait Éliane : il suait l'ennui des guerriers assis bientôt rassis. Il en crevait, tout simplement.

Un midi, une responsable du personnel civil vint chercher Éliane dans son enfer, lui demanda de rassembler ses effets personnels et de la suivre. Lorsque la porte du pool se referma dans son dos, elle eut un large sourire, pressa le pas et monta les deux escaliers qui la séparaient de son nouveau bureau en ayant oublié toute fatigue.

L'aviateur la raccompagna souvent le soir. Ils dînèrent quelquefois au Paris-Orléans, plus rarement au Zeyer de la place d'Alésia. Un soir, Éliane se laissa embrasser au pied de son immeuble. Un baiser chaste, assez furtif pour échapper au regard des voisins – *Juste un flirt et puis quoi ? Quel mal y aurait-il à cela ?* Soir après soir, d'autres baisers chastes s'étaient ensuivis, mais la porte de l'immeuble demeurait close.

Un jour, pourtant, il arriva ceci : une collègue offrit à Éliane un landau qui ne lui servirait plus car elle avait, disait-elle, son compte de progéniture. C'était un landau grand luxe que le lieutenant eut beaucoup de mal à faire entrer dans le coffre d'une voiture de sport pas conçue pour le fret familial. Cette fois, Éliane aurait besoin de son aide et André Delor, prenant le landau à pleins bras, franchit enfin le seuil de l'immeuble. Il se moquait d'elle qui ne grimpait pas assez vite. Au cinquième étage, l'escalier fut plongé dans le noir. Arrivée au sixième, Éliane chercha à tâtons l'interrupteur et quand la lumière revint elle crut s'évanouir. Assis en tailleur sur le paillasson, juste devant sa porte, c'était l'autre André – le premier, l'original, le fils des bouchers dont les cheveux blonds n'avaient jamais paru aussi clairs ni d'une telle cruauté. Il se redressa et, sans un bonjour, sans même un regard pour Éliane, il arracha le landau des bras du lieutenant. « C'est à moi de m'en occuper » furent ses seuls mots.

. . . .

Delor lui aussi allait partir, sa formation achevée. Bientôt il volerait seul, sans officier instructeur, avec de vraies armes à bord. Il retournerait au pays natal qui lui manquait tant. Il y retournerait, oui, pour semer la mort et la terreur chez ceux avec qui il avait grandi. Il serait rapatrié en métropole l'année suivante, devenu fou après qu'on l'eut envoyé bombarder un village paisible du djebel et non une arrière-base de rebelles fellaghas comme sa hiérarchie l'avait d'abord prétendu. Il allait passer de longs mois au centre psychiatrique des armées, boulevard Victor, un bâtiment adossé à la cité de l'Air. Éliane lui rendait visite aux rares moments autorisés. « Névrose de guerre », avait diagnostiqué le médecin major. Ça prendrait des années de cure, sans guérison assurée.

Ça mit beaucoup moins : un jour de permission, abruti de calmants, le jeune aviateur perdit le contrôle de sa DS cabriolet sur la route du Touquet et se fracassa contre un platane. On retrouva son corps beaucoup plus loin, éjecté dans un ravin. Mais l'histoire d'André Delor est une autre histoire.

Des fiançailles

Ni bonjour, ni merci, il avait arraché le landau des bras du rival, puis les deux André s'étaient toisés en silence sur le palier. Elle avait eu si peur. Le fils des bouchers n'aimait pas qu'on approche sa fiancée – gare à celui qui oserait la séduire ou lui manquer de respect. Elle l'avait déjà vu se battre pour presque rien, un sourire appuyé, un clin d'œil salace, et le duel était inégal : invariablement, les types finissaient sur le carreau ou le macadam, sonnés d'un uppercut.

Par réflexe, elle avait tendu une main à André Delor pour le presser de partir et celui-ci s'était bravement exécuté, serrant avec peine cette main froide qui le congédiait.

Elle n'oublierait jamais les yeux sombres du lieutenant alors, des yeux non plus dorés mais voilés d'orage, où se reflétait une déception qui lui poigna le cœur.

. . . .

C'est tout juste si André ose entrer. On dirait un visiteur emprunté découvrant la mansarde. Il reste là, planté au milieu de la pièce, bras ballants, dansant d'un pied sur l'autre, comme si la pièce exiguë pouvait ne pas contenir sa présence, ou disons, ne plus la souffrir.

Comme si un lieu pouvait vous en vouloir.

Sur la petite cheminée condamnée où est encastré le poêle à pétrole, il retrouve, posée à même le manteau, la seule photo qui existe d'eux deux. Elle a été prise à leur insu par monsieur Alexandre, tandis qu'ils marchaient main dans la main sur les planches de Deauville. Leur bonheur s'y lit à livre ouvert. Éliane porte de hautes sandales blanches, une jupe de plage, blanche elle aussi, qui découvre ses cuisses fines et bronzées, ainsi qu'un corsage léger sans manches. Ses épaules nues sont si délicates, sa taille si étroite soulignée par la haute ceinture de la jupe. Qui croirait que cette jeune femme au ventre plat porte en elle depuis quelques heures un enfant ? Elle sourit, splendide, timide et pourtant fière : hier encore, elle était vierge.

André a la voix qui déraille : « Tu l'as gardée ? »

Éliane baisse les yeux. Ses longs cils noirs, épais et brillants telles des plumes, émerveillent encore une fois le fiancé. « Bien sûr que je l'ai gardée. Je voulais que mon enfant ait une image de son père. Une belle image. » De la poche revolver de son veston, André sort alors un portefeuille, l'ouvre et le tend à Éliane : sous le mica d'un soufflet, il garde lui aussi un tirage de la photo. Au verso, on voit en transparence un ticket rose tamponné. Éliane reconnaît le tampon du bal de Bagneux. La date, 1er MAI, est celle de leur rencontre. « Alors… tu m'aimes un peu ? » balbutie-t-elle.

André l'enveloppe de ses bras immenses – elle avait oublié le bonheur de ces bras-là –, et la berce aussi doucement qu'il peut. « T'as de ces questions, chérie… Bien sûr que je t'aime. Pour la vie, je t'aime. » Il a un bref sursaut et se détache. « Eh ! Je rêve ou quoi ? Je crois bien que notre énergumène vient de me lancer un coup de pied. Il promet, celui-là.

— Et si c'était une fille ?

— Taratata ! J'aimerais mieux avoir une fille, crois-moi. Les filles, c'est plus gentil avec les pères, plus proche, plus caressant. Mais je peux t'assurer que c'est un lascar qui va nous tomber dessus. »

Hélas ! croit-il bon d'ajouter, mais il est si heureux – le large sourire et les fossettes espiègles démentant ses propos – que la future mère renonce à lui opposer sa propre certitude de porter une fille.

Ils avaient passé presque une heure au Comptoir d'Orléans. Éliane n'avait de goût pour aucune des bagues qu'on lui présentait, trop carrées, trop clinquantes, *manquant de caractère*, estimait-elle. Ils s'apprêtaient à sortir lorsque le bijoutier les rattrapa : il avait une idée, quelque chose au coffre qui devrait plaire à la petite demoiselle. Une comtesse russe dans la gêne lui avait laissé en dépôt sa collection de bijoux anciens, parmi lesquels une bague dite marguerite, idéale pour des fiançailles, prétendait le bonhomme. Il revint du coffre tenant dans son poing un carré de velours bleu nuit qu'il ouvrit, révélant aux regards de ses jeunes clients une bague éblouissante, une pièce en or blanc sertie d'une corolle de brillants avec en son cœur un diamant.

« Oh ! Elle est magnifique, souffla Éliane, la voix altérée par l'émotion. Trop belle pour moi – et beaucoup trop chère, je parie. »

André interrogea du menton le vendeur, lequel griffonna un montant sur une feuille de son calepin.

« L'argent n'est pas le problème, chérie. Mais je ne vais pas t'offrir une occasion, ce serait la honte.

— Je me moque qu'elle ait déjà été portée. Je m'en fiche totalement. C'est elle que je veux… si tu veux bien. »

La bague marguerite était trop large pour son annulaire, trop large encore pour son majeur. « Tes doigts sont si fins », s'émerveillait André. Elle faillit lui parler de la fille Peggy Sage et du photographe à longs cheveux, puis se ravisa.

« J'ai peur de la perdre, gémissait-elle, et pourtant je veux la porter. » Elle eut alors cette idée (lumineuse, lui sembla-t-il) de mettre ses gants de soie noire et d'enfiler la bague par-dessus le gant. En effet, ça semblait tenir, l'épaisseur du tissu bloquant l'anneau sur la phalange. Ils marchaient toujours dans les allées du parc Montsouris, l'un contre l'autre enlacés. La nuit tombait, l'humidité montée des pelouses faisait grelotter la jeune femme que son amoureux serrait alors plus fort contre lui, lui brassant les épaules, lui frottant le dos de ses mains vigoureuses.

Elle poussa un cri : à sa main gauche, sur le gant noir, plus rien n'étincelait. Adieu le diamant, adieu la marguerite. À quatre pattes dans la nuit glacée, ils refirent le chemin parcouru mais le labyrinthe des allées était si dense qu'ils n'étaient pas certains de retourner vraiment sur leurs pas. La flamme du briquet fléchissait. « Bientôt je n'aurai plus de feu, bébé, on sera foutus. » Ils approchaient d'un réverbère encore allumé qu'Éliane reconnut : c'est là qu'ils s'étaient embrassés quelques minutes plus tôt, doucement d'abord, puis avidement, d'un long baiser réparateur – leur premier baiser depuis le retour d'André.

Il se taisait à présent. Il avait fait un pas de côté, mis deux mètres de froid entre eux. *Cherchant quoi ?.... à fuir de nouveau ?*

Jamais Éliane ne l'avait vu si bouleversé. Ce ne pouvait être l'argent que la bague avait coûté – elle savait déjà que cet homme se moquait de l'argent, qu'il s'agissait d'en gagner, oui, mais pour le dilapider à un jeu sans joie, comme si toute l'existence se résumait à un casino permanent. Il parlait si peu qu'on l'aurait cru incarné dans les objets, reflété par eux, sa Vespa, sa caisse à outils, ces machines à sous qu'il réparait, jusqu'à cette bague de fiançailles égarée qui semblait sonner sa perte à lui.

Éliane avait appris à lire le langage corporel de son fiancé, les signes de la contrariété notamment : les masséters qui s'affolaient sous la peau des joues et la barbe du soir ; les sourcils froncés, le front si plissé qu'il en devenait presque laid. Mais il se passait autre chose, ce soir. Les dents serrées se mettaient à grincer d'un bruit atroce – comme un os sous le rabot, un ivoire sous la scie.

« C'est vrai, ce que ma mère et ma sœur disent ? Est-ce vrai que tu as demandé de l'argent pour avorter et disparaître de ma vie ? » Il n'alla pas plus loin : c'étaient déjà beaucoup de mots pour lui. Il regardait, implorant. Elle lui raconta la visite de Paule, le marché proposé par les parents, le chèque qu'elle avait refusé.

« Ma mère dit… Ma mère a prévenu que si je me remettais avec toi, je pouvais faire une croix sur elle.

— Je ne sais que te dire. Je suis désolée.

— Je n'aurais pas dû t'offrir ce diamant de seconde main. Ça porte malheur, tu vois. »

D'un bond elle fut contre lui, lui saisit le bras et cria *Ici !* La bague brillait à peine dans l'herbe noire. Guère plus grosse qu'un vers luisant ou une luciole, c'était bien elle, c'était bien le diamant marguerite sur une pelouse plus habituée aux pâquerettes. Éliane y vit un heureux présage, le signe qu'elle avait raison d'épouser le jeune homme : une force supérieure souhaitait la réussite de cette union. Elle glissa la bague dans son sac – « Demain j'irai la faire rétrécir », promit-elle.

Les gardiens sifflaient la fermeture du parc. André saisit la main de sa fiancée et voulut l'entraîner dans une course, mais ça ne court pas vite les filles, surtout les filles enceintes, alors qu'attendre d'une fille enceinte à talons hauts ? Éliane était à bout de souffle lorsqu'un gardien fumasse rouvrit pour eux le portillon des retardataires. Sur le trottoir ils s'embrassèrent encore, indifférents aux regards des derniers promeneurs qui hâtaient le pas vers la lumière des avenues, la chaleur d'un café ou d'un chez-soi.

Derniers pourparlers

Paule arrive en pétard, les cheveux trempés, les bas crottés. « Quel chantier, ce foutu périphérique. J'ai manqué m'étaler de tout mon long dans la boue à cause d'une planche mal fixée. Tu arrives à supporter ce boucan ? »

Les béliers mécaniques, les excavateurs, les pains de dynamite, les armées de marteaux-piqueurs : on n'ouvre pas la fenêtre avant le soir, quand les chenillards sont au repos, les hommes rentrés dans leur bidonville ou leur foyer de travailleurs. Oui, c'est un vacarme furieux, et pourtant il y a quelque chose d'excitant, d'enivrant, dit André, à voir la ville faire peau neuve, la vieille Zone exploser, ses restes enfouis sous la lancinante procession des bulls et des niveleuses.

La visiteuse se défait tant bien que mal du manteau de panthère trop étroit pour elle. Éliane attrape le manteau et le met à sécher sur un dos de chaise, près du poêle.

« La plupart du temps, je ne suis pas là pour entendre. Je pars bosser quand les travaux démarrent et je rentre le soir bien après leur fin. C'est le samedi qui est pénible, comme aujourd'hui, parce qu'on voudrait se reposer, respirer un peu… Pardon de vous accueillir dans cette tenue, j'allais faire ma lessive. »

Paule tousse dans sa main gantée de satin ocre, du même ocre que les ocelles de la fourrure, *sa* panthère comme elle dit, et l'on croit voir le sang de la bête dépecée dégouliner de ses épaules : ce n'est plus vraiment un manteau, c'est un trophée exhibé retour de chasse, une démonstration de puissance.

« Si mes yeux voient bien ce que je vois, tu as gardé ton moutard. Oh ! Ce n'est pas une surprise. Je m'y attendais. Je l'ai compris à ton air effronté, l'autre fois. »

Quel dommage, songeait-elle, *quelle tristesse que la bague soit chez le bijoutier pour y être raccourcie. J'aurais tant aimé la lui fiche sous le nez.*

« De mon côté, je m'attendais à votre visite depuis quelques jours.

— Ah oui ?

— Une idée comme ça.

— Alors, tu devines aussi ce qui m'amène. Mais d'abord, serais-tu assez gentille de m'offrir à boire ? Avec tout ce que j'ai cavalé dans la neige et la gadoue, je meurs de soif.

— Je peux vous servir de la limonade.

— Hum. Je préférerais un remontant.

— J'ai de la bière au frais. C'est tout.

— De la bière pour Dédé, je parie. »

Éliane soupire – ce maudit surnom. Le parfum de Paule, si lourd, envahit le maigre espace et pollue le peu d'air respirable.

« Tu ne réponds pas. Il revient donc te voir ? »

La jeune femme enfonce ses ongles longs dans la chair de ses bras nus. « Ça lui arrive, oui.

— Je m'en doutais. Il a demandé une grosse avance à Bobby et je me suis dit qu'il y avait de la souris là-dessous. J'espérais que ce soit une nouvelle, pas toi encore. Et puis l'autre jour je l'ai surpris qui discutait sur l'avenue avec une petite basanée, et ce n'était pas un flirt : j'ai reconnu ta voisine que j'avais croisée déjà. J'ai compris.

— Fatna ? Vous êtes sûre ?

— Fatima ou ce que tu voudras, c'était la fille d'à côté avec son tatouage bleu. Ne fais pas celle qui ne savait pas. C'est toi qui l'as envoyée pour le relancer, le supplier de te reprendre. Ça ne marchera pas. Avec maman, on a décidé que tu ne l'aurais pas. Mais on a pensé à ton avenir.

— Trop aimable à vous. »

De son sac, Paule a tiré une grande enveloppe en papier kraft sous laquelle on devine la forme de liasses. *Ça devient une habitude*, note Éliane, *comme cette sale manie de débarquer sans prévenir.*

« Ne fais pas ta princesse. Tu seras tranquille au moins deux ans avec cet argent. Tu pourrais même te louer un petit deux pièces en banlieue, avoir une chambre d'enfant. Tu peux compter, n'aie pas honte. Les parents se sont montrés très généreux. Tu oublies Dédé, on t'oublie. On est quittes et sans rancune. Vas-y, prends-le. »

Amère, Éliane sourit et, de la pointe de l'ongle, avec une prudence de démineur, soulève le rabat de l'enveloppe. Quatre liasses bien épaisses, c'est beaucoup d'argent sans doute.

Paule la dévisage de ses gros yeux ronds, guettant un

signe de gratitude, rien qu'un petit merci murmuré. Mais ce n'est pas une situation où l'on a envie de remercier. Ce seul mot de générosité sonne indécent, écœurant comme le parfum de la sœur panthère dont l'air est vicié. *Parfum de quoi, déjà ?... Pour une qui prétend détester l'odeur des lis, elle s'arrose d'un jus cent fois plus violent... Sentant l'iris, la tubéreuse ?... Sentant la jacinthe pourrissante et l'affreux patchouli ?... Sentant la poule de luxe, oui !*

Ça, et puis autre chose : à peine entrouverte, l'enveloppe de billets s'est mise à répandre une odeur douceâtre, entre sucre et suint, l'odeur reconnaissable entre toutes de la viande de boucherie – à croire qu'on a caché le coffre-fort dans la chambre froide. La nausée surprend Éliane, une nausée comme elle n'en a plus depuis des semaines, si violente qu'elle a tout juste le temps de courir sur le palier jusqu'aux toilettes turques.

« Tu as bien compris le marché, n'est-ce pas ? Dans la minute où tu empoches cet argent, tu renonces à le voir. Débrouille-toi pour qu'il se lasse. Ce n'est pas si difficile de dégoûter un homme, surtout un gamin comme lui. L'envie d'être père et marié lui passera bien vite, crois-moi.

— Il dit... Il ne voit pas les choses comme ça. Plus maintenant. Je crois qu'il s'est mis à aimer cet enfant. L'idée de l'enfant.

— Mais qu'est-ce que tu me chantes ? Il y a dix jours encore, il chialait comme un veau dans mon giron tellement il avait la trouille, et aujourd'hui il serait devenu un homme responsable ? Atterris, ma pauvre fille. Il n'est pas en âge de t'épouser et il ne le fera pas car il a toute sa vie à bâtir. Qu'il se trouve déjà une chambre en ville. Qu'il cesse de vivre aux crochets des parents. »

De rage, la visiteuse a ignoré le cendrier posé devant elle et écrasé sa cigarette sous la pointe de son soulier. Le parquet blond brûlé, Éliane ne peut en détacher ses yeux. Ç'aurait presque fait moins mal si l'autre lui avait éteint sa cigarette sur un bras. De son sac, Paule a sorti une pochette blanche brodée, l'humecte de salive et va pour nettoyer sa faute. Mais elle a trop de ventre et sa robe étriquée la comprime de telle sorte qu'elle peine à se baisser.

Éliane retient son geste : « Laissez, je m'en occuperai plus tard. » Puis, repoussant l'enveloppe : « André va m'épouser, autant vous y faire. »

L'accès de vanité reçoit son dû :

« Ah oui, princesse ? C'est sûr et certain, cette fois ? Jusqu'à quand ce sera sûr ? À quand la prochaine volte-face ? Tu me diras... ce n'est pas comme s'il t'avait déjà plantée une fois. Garde tes airs hautains pour d'autres.

— Et vous, gardez vos sarcasmes. Gardez tout. Dites bien ça à votre mère et à votre père. »

Paule se met à hurler soudain.

« Ce n'est pas *mon père* ! Ne prononce pas ces mots. Je ne suis pas la fille du boucher. Dédé ne t'a pas dit ? Il est mon demi-frère, seulement un demi-frère. Mon père à moi, c'était quelqu'un. Un homme du monde, héritier d'une famille de fourreurs, un don juan noceur qui a jeté l'or et l'argent par les fenêtres... Mais peu importe la fortune perdue. C'était un homme bien. »

À y réfléchir, le boucher ne donnait pas plus l'impression d'être le père d'André. Éliane se rappelait un petit bonhomme en forme de poire, si petit qu'elle le dépassait (*même sans mes talons*, elle aurait pu le jurer), moins d'un mètre soixante, donc, un type grassouillet à nez bourbonien, portant un ongle très long et très dur à son pouce droit pour évaluer la tendreté de la viande, disait-il, selon que l'ongle s'enfonçait ou pas dans la chair des carcasses. Ce qui frappait à le voir, c'était son entourage immédiat, comme s'il avait été propulsé par un auteur facétieux sur une planète de géants. Tous l'écrasaient de leur taille, sa plantureuse épouse, sa belle-fille et, bien sûr, ce fils si grand qu'il lui fallait basculer la nuque en arrière pour lui parler. Ces deux-là avaient pourtant en commun le goût du silence – à moins que ce ne fût la répugnance des mots en l'air. Aucun souvenir de la voix du boucher, Éliane ne savait même plus ce qu'elle avait perçu du bonhomme un peu pitoyable avec son pantalon remonté haut sur l'estomac et ses bretelles qui achevaient de lui donner un air de clown. Hostile ou bienveillant ? Aucune idée.

Hébétée, la demi-sœur répète : « Mon père, ça oui, c'était quelqu'un. Tu l'aurais vu… La distinction faite homme. » Pause. D'un regard oblique, elle scrute le visage d'Éliane, balaie l'espace comme si elle cherchait à se rappeler ce qu'elle fait là.

Éliane : « Votre beau-père, soit. Eh bien, faites-leur passer le message, à lui et à votre mère. Je ne veux pas de leur argent et je n'en ai jamais voulu, contrairement à ce que vous répandez avec vos mensonges. »

Paule : « Ce n'est pas assez ? Tu auras plus de fric. Le double. Je m'y engage. »

Éliane : « Vous êtes sourde ou quoi ? Je n'en veux pas à vos sous. Dites bien ça à votre mère, elle qui semble penser que je me suis mise dans ce pétrin pour l'appât du gain. Je ne suis pas de ces filles-là. Et puis, j'aurai bientôt de quoi élever mon enfant dignement… quoi qu'il arrive. Plus besoin de me tuer toutes les nuits à taper ce fatras médical ni ce verbiage philosophique qui me donnent mal à la tête parce que c'est plus fort que moi, j'essaie de comprendre ce que mes doigts tapent, les mots ne filent pas seulement sous mes ongles, leur musique aussi entre dans mes oreilles…, alors j'essaie de comprendre mais c'est trop dur, je ne suis pas assez intelligente… Désormais, je bouclerai les fins de mois à des choses moins fatigantes. »

Paule : « Ah oui ? »

Éliane : « Je vais poser pour un photographe. »

Paule : « De mieux en mieux. Tu finiras où, à ce train-là ? »

Éliane : « C'est un photographe de publicité. »

Paule : « Qui te jettera à la première vergeture. Un enfant, ça laisse des traces. Tu vas poser pour quoi ? Jolie Maman, le catalogue Prénatal ? »

Éliane : « Personne ne me verra nue. Personne ne me reconnaîtra. »

Paule : « Tiens donc ? »

Éliane : « Il va photographier mes mains. »

Elle comptait sur l'effet de surprise mais la sœur panthère hausse les épaules : « Un pervers ? Un fétichiste ?

— Ce que vous pouvez être mal embouchée. Il photographie des mains pour des joailliers… » Elle a pris soin d'articuler le mot avec distinction, détachant les syllabes, laissant rebondir sur sa langue les sonorités mouillées. « … Des maroquiniers et des gantiers aussi. Mais bon, ce sera surtout les vernis à ongles, à ce qu'il m'a dit, et les crèmes cosmétiques. J'ai les plus belles mains de Paris, dit-il aussi. Je serai l'ambassadrice de Peggy Sage en France. Oui. »

Le regard noir se perd au loin, soucieux. Elle n'est plus si sûre de ce qu'elle annonce là car Tony atermoie ; semaine après semaine, la date de leur séance est repoussée et elle n'en continue pas moins de martyriser ses mains, de les soumettre à des exercices extrêmes, de les baigner dans la glace jusqu'aux limites du supportable.

« Tant mieux pour toi. Je te félicite. Tu veilles à ton propre entretien, sans besoin de personne. Tu es une femme moderne, non ? Une femme moderne ne s'encombre pas d'un mari, encore moins d'un mari enfant. Oh ! Ne souris pas. Je te rappelle que Dédé est mineur devant la loi.

— Comment l'oublier ? Vous me l'avez assez fait savoir. J'imagine que je devrais vous remercier pour ça aussi. »

Elles se dévisagent. Pensant intimider l'adversaire, Éliane affûte ses yeux noirs et relève le menton. Paule éclate de rire – éclater n'étant pas seulement façon de parler : son menton a triplé, les coutures de sa robe sont au bord d'exploser.

« Ça marche peut-être sur ces messieurs, ton regard fatal, mais pas sur moi. Tu gardes l'enfant ? Très bien, ça te regarde après tout. Fais ce que tu veux, ça nous est égal, aux parents et moi. Mais tu n'auras pas mon frère. Il ne t'épousera pas. Hors de question qu'il gâche sa vie. Cet argent-là, c'était pour que tu le laisses tranquille. Mais on peut aussi passer à la manière forte, si tu préfères. Tu as soustrait un fils à ses parents. » Ici, Paule hésite, comme une actrice chercherait un texte mal appris. « On pourrait considérer que lorsqu'il vient dormir chez toi, c'est un enlèvement.

— Qu'est-ce que vous racontez là ?

— Laisse-moi parler. Détournement de mineur, ça te dit quelque chose ?

— C'est absurde. Je n'ai que vingt ans, je suis mineure moi-même.

— Tu ne connais donc rien à la loi. Tu confonds la majorité où l'on peut voter et l'âge où l'on peut coucher. S'ils avaient voulu, les parents, tu serais déjà à croupir en prison. »

Éliane secoue la tête et murmure : « Dites-moi que c'est un cauchemar… Un mauvais rêve ou une mauvaise plaisanterie.

— Ai-je l'air de blaguer ? Non. Crois-moi, quand il s'agit de protéger une famille honorable, les flics et les juges savent y faire. L'avocat des parents dit que le détournement est plaidable dans ce cas précis. Bien sûr, personne ne souhaite en arriver là. La balle est dans ton camp, princesse. »

S'ensuit un long silence où chacune plonge, épuisée, submergée de honte, de chagrin aussi. Paule est toute blanche, son menton tremble et ses gros yeux, comme privés d'azimut, roulent dans leur orbite.

« Mais pourquoi faites-vous ça ? Qu'est-ce qui vous intéresse là-dedans ? Qu'est-ce qui vous titille ou vous excite ? » Éliane rougit, se mord la lèvre, sa voix grave s'enroue. « Pourquoi ?…. Pourquoi n'avez-vous pas d'enfant ? Pourquoi vos six mariages ? »

Paule se raidit sur la chaise paillée, qui grince et se tord.

« Comment oses-tu ? » Mais Éliane poursuit, qui ne lâchera plus :

« Et pourquoi, pourquoi êtes-vous à me répéter sans cesse qu'André est trop jeune pour faire un père et un époux alors que trois ans seulement nous séparent – quand votre nouveau compagnon affiche dix ans de moins que vous ?

— D'où tiens-tu ça ?

— D'après vous ? André me parle.

— Mon frère parle à présent ? Ah ! Il devait se plier de rire en vous balançant ça. Il a dû exulter en me traînant dans la boue.

— Pas du tout. Il avait l'air heureux pour vous. Votre frère vous aime. Vous ne savez pas votre chance, d'avoir un frère aimant comme lui. »

Ici, il faut faire retour à Trouville, à ce pont du 15 août de l'année précédente.

À l'ultimatum que sa secrétaire et maîtresse lui avait lancé, Bobby Alexandre avait répondu sèchement, sans hésiter une seconde : il ne divorcerait pas. « Il est trop honnête pour quitter la mère de ses filles maintenant qu'elle est malade des nerfs », avait prévenu André, mais sa sœur avait haussé les épaules. Que connaissait de l'amour un gamin ignare ? Éliane avait approuvé André : « Je le connais à peine mais j'ai l'impression que monsieur Alexandre n'est pas de ces hommes qu'on menace. » André l'avait embrassée. Il n'aurait su mieux dire.

Dans son élan, il révéla un secret embarrassant que sa mère lui interdisait de divulguer à quiconque. Paule en était à six mariages et six divorces. Le dernier mariage n'avait pas duré trois mois. « Six maris et toujours pas d'enfant ? » s'était écriée Éliane, cherchant le ton juste entre effroi et compassion. André avait secoué la tête (la mèche blonde retombait sur son nez, alors il soufflait entre ses lèvres, à la verticale, espérant relever la masse de cheveux qui, bien sûr, ne bougeait pas, et ce geste qu'il avait alors, délicat, de prendre les cheveux entre ses doigts puis de les rabattre sagement à l'arrière du crâne, ce tic ou ce jeu bouleversaient Éliane à chaque fois) puis, sans un mot, se contentant d'écarter les bras dans un aveu d'impuissance, il signifia qu'il ne connaissait pas l'origine de cette infertilité, si c'était un choix volontaire de sa sœur ou un malheur qui l'accablait, et, toujours sans qu'il eût à proférer un son, Éliane comprit qu'on ne parlait pas plus en famille de cette absence d'enfants que de la multiplication des époux.

En septembre, Paule renouait avec un prétendant qui avait dû se glisser entre deux mariages (« Un livreur de chez Nicolas », soupira André, lui pourtant dénué de tout snobisme. « Tu vois un peu le genre de feignant que ça doit être »), et elle jura que cette fois-ci c'était le bon, le livreur était l'homme de sa vie – serment que le boucher aurait salué d'un « Pas trop tôt », lui qui en avait assez de payer les divorces de sa belle-fille, divorces toujours à sa charge, prononcés pour faute, un clou chassant l'autre.

La voici à présent décomposée et cherchant son souffle, sanglée dans cette robe trop étroite sous laquelle se devinent le corset étouffant, la gaine douloureuse. Sans doute, Paule enrageait qu'on lui vole la vedette du bonheur avec un mariage de jeunes gens amoureux – une union déjà assurée d'être féconde. *C'est assez humain comme genre de jalousie*, s'avise la jeune femme enceinte. Pauvre Paule, qui a placé ses derniers espoirs dans ce mari de vingt-six ans, un homme jeune encore, fougueux, à la semence nombreuse, qui saura faire d'elle une mère enfin, avant qu'il ne soit trop tard.

Oui, à l'écouter répéter que ce septième mariage serait le bon, on pouvait se demander si Paule n'entendait pas que *cette fois, elle engendrerait.*

« Si j'insiste sur l'âge de mon frère, ce n'est pas par souci de convenance, rassure-toi. C'est que son âge à lui fait qu'il doit partir sous les drapeaux. Et c'est la guerre, princesse. Ça n'a pas pu t'échapper, tu es aux premières loges. Dédé sera mobilisable à l'heure de ses dix-huit ans et ce sera l'Algérie, là où ça ne pardonne pas. Il est si naïf, et tête brûlée avec ça, qu'il tombera sous la première balle. Tu te retrouveras veuve, veuve de guerre comme ta mère – et tu auras ce moutard sur le dos pour tout arranger. La veuve et l'orphelin. Beau programme. »

Éliane se tient sur le bord du lit, genoux joints, les mains croisées sur les genoux, comme menottée. Inatteignable.

« Figurez-vous que j'ai *aussi* pensé à ça. J'y ai pensé bien avant vous, je crois. Si nous avons notre enfant, André n'ira pas à la guerre. Je m'arrangerai pour qu'il fasse son service à l'abri, en métropole. J'ai un patron qui m'aidera, j'en suis sûre. »

Paule s'est figée. Dans son visage interdit, seuls les fanons et le menton tremblotent avec des frémissements de gelée anglaise. Elle écarquille les yeux sur cette jeune femme qu'elle croyait plier en deux coups, qui résiste avec une détermination inattendue. *Ce serait donc elle, l'élue ?* semble-t-on découvrir. *Elle, la future belle-sœur ?*

« Et tu crois que ça lui ira, à Dédé, d'être un planqué ? Tu crois qu'il se contentera de faire du gras à l'arrière ?

— S'il vous plaît, Paule, rien qu'une fois, pourriez-vous éviter de l'appeler de ce diminutif si vilain ? Ça m'arrache les tympans à chaque fois.

— Comme tu voudras, je trouve ça moche aussi. C'est juste l'habitude. Une mauvaise habitude. Mon frère rêve d'aventures, et surtout il rêve d'en découdre avec le monde entier. Tu ne l'as pas remarqué ? Si tu crois que tu le priveras de sa guerre, tu te goures. Chaque génération a sa guerre, voilà ce qu'il nous serine. C'est l'obsession du moment. Et il entend bien vivre la sienne. Ça t'étonne, hein ? Ça prouve encore que tu le connais mal. »

Éliane sourit : s'il y a une chose qu'elle sait d'André avec certitude, c'est que du jour où elle lui aura tendu leur fille et qu'il l'aura prise dans ses bras, le jeune homme n'éprouvera plus aucune envie de mourir ni le désir du moindre danger.

« À quoi tu penses ? Qu'est-ce qu'il y a de si drôle, que tu souries aux lames de ton parquet ?

— Je me disais que la brûlure était superficielle.

— Ah ! Désolée. Qu'est-ce que je peux faire pour réparer ?

— Rien. La tache s'effacera. »

LA BOUCHERIE MODERNE

Le petit homme en forme de poire tenait une boucherie prospère avenue d'Orléans. Peu avant la guerre, il avait épousé une inconnue plus toute jeune, d'allure olé-olé, disaient les clientes, déjà mère d'une adolescente au physique ingrat, aux trop fréquents esclandres. On ne les aimait pas dans le quartier, ni cette belle-fille inquiétante ni cette épouse tardive qui réussit à se faire engrosser à quarante ans par le boucher vieux garçon. On l'appelait la contrebandière. S'ils sont riches à millions, disait-on, c'est grâce à elle, à ses trafics juteux. Et ceux qui parlaient ainsi étaient les mêmes qui, durant six années, avaient acheté au marché noir les jambons, les volailles et les pièces de bœuf que Juliette allait chercher en Normandie à raison de deux valises pleines chaque semaine. Elle ne s'en cachait pas – pas plus que du luxe scandaleux de ses robes et de ses bijoux achetés avec le revenu de la contrebande. Et par-dessus la belle robe de marque, elle passait une blouse blanche comme il sied aux patronnes de boucherie qui tiennent la caisse, une blouse qu'elle ne boutonnait pas, cependant, afin que chacun pût apprécier les raffinements de dentelle et de perles du couturier.

La boucherie s'était agrandie à la Libération. Elle avait fait peau neuve – nouveaux billots, nouveaux frigos, de la faïence partout – et pris le nom de Boucherie Moderne comme l'indiquait le store motorisé rouge et blanc ornant la devanture.

Leur vie était simple, leurs loisirs routiniers : le dimanche midi, après avoir fermé boutique, on allait prendre le champagne au Zeyer puis on allait aux courses de Longchamp, de Vincennes et d'Auteuil, ou, quand c'était la saison du trot attelé, on poussait jusqu'à Enghien. On déjeunait tard, en milieu d'après-midi, au restaurant du champ de courses. Le soir, on retournait au Zeyer pour une assiette de fruits de mer suivie d'une omelette norvégienne. Le lundi, on dormait tout son soûl. Dans l'après-midi, on allait faire les cinémas de l'avenue. Peu importait l'heure de la séance (le cinéma était permanent), peu importait le film donné, on entrait d'abord au Gaumont, on montait à la corbeille et là, ou bien le film pris en route, souvent en son milieu, réussissait à captiver, ou bien il était ennuyeux, trop lent, trop triste, trop compliqué et on se rendormait. Une heure, deux heures plus tard, on sortait du Gaumont, les yeux éblouis par la lumière, la tête un peu lourde, on traversait l'avenue pour aller en face, au cinéma Mistral. Où l'on entrait dans le même mépris de l'horaire et la même indifférence au film projeté.

Bien sûr, jamais de vacances. Les vacances c'était pour les autres. Pour changer un peu, l'été, on pouvait aller passer un week-end à Deauville et, entre deux courses, quitter l'hippodrome pour la plage où l'on barbotait pieds dans l'eau quelques minutes. Au restaurant de la promenade, les fruits de mer étaient bons, mais pas meilleurs, finalement, que ceux du Zeyer, et l'on se demandait si c'était bien la peine de faire tous ces kilomètres pour trouver ce qu'on a déjà en bas de chez soi.

Entre le père et le fils, il n'y avait pas que la dissemblance physique, il y avait aussi un océan de caractères discordants – toute une attitude, comme si l'un s'était appliqué à faire point par point l'inverse de l'autre. André était coquet, passait de longues minutes à arranger sa mèche blonde, à la cranter puis à la contenir sous des bombes de laque : ça lui faisait un front haut, aérien, téméraire – un truc qui plaisait aux filles et rassurait les hommes. Le boucher, c'est tout juste si un peigne lui passait par la tête le matin. Tel un paysan il aimait les chemises à carreaux en flanelle et les pantalons de coutil, mais le plus drôle, qui faisait rire tout le monde sauf son fils, qui en avait honte, c'était sa façon d'attacher lundi avec mardi, ses chemises boutonnées de travers, oui, et les chaussettes toujours dépareillées.

Sans comprendre, Maxime voyait son fils cirer ses bottines noires jusqu'à s'en faire deux miroirs aux pieds, il le regardait coudre lui-même les ourlets de ses pantalons étroits et, chaque dimanche matin, il admirait le soin extrême avec lequel le gosse repassait ses six chemises blanches, une chemise par jour ouvré, comme si un dépanneur avait eu besoin pour bosser de se vêtir en rupin. Personne ne savait d'où il tenait ce talent pour les arts ménagers – certes pas de sa mère, infoutue, elle, de changer un bouton ou de repasser un mouchoir.

À la boucherie paternelle, André avait préféré entrer en apprentissage chez des inconnus pour un salaire de misère.

Maxime ne pouvait même pas lui en vouloir, lui qui détestait le sang, qui détestait l'odeur des carcasses et ces épouvantables halles où il fallait plonger chaque matin, lui qui n'avait pas su tenir tête à son propre père et vivait en silence sa punition quotidienne, année après année. Au moins André avait-il su rompre la chaîne, même si c'était pour une liberté peu glorieuse.

Car le fils affranchi préfère le jeu, l'argent facile, ces choses qui brillent, tellement futiles, les billards électriques, les machines à sous, les juke-box et les scopitones qui diffusent des chansons si bêtes qu'on se sent un âne rien qu'à les écouter – voilà ce qu'il aime, le fils, et Maxime a compris que c'était irrattrapable, il ne changerait pas.

. . . .

Dix mois plus tôt. C'est un grand soir : Éliane est invitée avenue d'Orléans, dans l'appartement cossu du premier étage au-dessus de la boucherie. On l'accueille bien, on la tutoie, on la trouve ravissante. « C'est la première fois que le môme nous présente un flirt », chuchote la bouchère, puis elle rit. « Tu penses comme on était curieux de savoir à quoi tu ressembles. Allez, pas de manières entre nous, appelle-moi Juliette. »

La table a été dressée comme pour un repas de fête, nappe blanche brodée, porcelaine blanche à marli d'argent, couverts en argent, verres et carafes en cristal de Bohême. Au centre de la table, un généreux bouquet de pivoines pleut en pétales rouges et roses sur la nappe. La bouchère, on le devinait, n'avait pas toujours été cette dondon boudinée dans une robe de soie et de dentelle bleu nuit griffée

Dior. La décoration très insistante de l'appartement, sorte de bazar orientalisant mêlant vases et porcelaines de Chine, guéridons marocains en marqueterie de bois, d'ivoire et de nacre, vaisselle persane, tapis afghans, tous ces objets hétéroclites, qu'ils fussent faux ou authentiques, témoignaient d'un certain goût qui ne s'acquiert pas dans les abattoirs ni les comices. « J'aime les belles choses, avait-elle dit à Éliane, et je vois que toi aussi tu sais apprécier. Je ne pars jamais en vacances, cette maladie à la mode d'aujourd'hui. Plutôt que de claquer l'argent durement gagné dans des avions et des paquebots, plutôt que de courir aux quatre coins du monde pour apprendre des choses qui ne m'intéressent pas, je préfère m'acheter une jolie robe, un joli service à thé chinois. » Elle avait ri : « Note bien, les services à thé sont juste pour la vitrine de l'argentier, car je ne bois que du champagne, moi. » Avec ses façons brutales, son parler goguenard, la bouchère était un peu vulgaire. Un peu, seulement ? Éliane savait ce que les femmes de la maison noire diraient d'une telle personne : elle avait *fait la vie*. Et ce qui fascinait chez la bouchère, c'est que non seulement elle ne souhaitait rien dissimuler ni passer pour autre qu'elle avait été, mais qu'elle était assez fière d'avoir eu cette vie.

« Ta robe n'est pas mal non plus, dis. J'aime bien ce nœud sur la hanche. C'est badour. Et puis c'est distingué.

— Ma mère l'a cousue.

— Oui, Paule m'a raconté. Elle a des doigts de fée, ta mère, mais elle passe son temps au chômedu, à ce qu'il paraît ? Ça n'a pas de sens.

— Elle va d'une maison à une autre, là où on la demande,

et surtout quand elle peut. C'est compliqué. Nous avons un souci de famille. »

Éliane sait, ou disons, elle sent qu'il vaudrait mieux se taire, et pourtant elle continue, elle parle de sa cadette, l'enfant catastrophe qui pose un nouveau problème chaque semaine. Tout y passe, le bec-de-lièvre à la naissance et, pire que ça, les hanches luxées.

La bouchère brise entre ses doigts bagués d'améthystes le cure-dents qui sondait ses gencives. Soudain sèche, elle demande : « C'est héréditaire ?

— Non, c'est congénital, disent les médecins.

— La différence, tu peux me la dire ?

— C'est un accident, ça ne se transmet pas. C'est la faute à pas de chance, c'est tout. »

La bouchère cherche le regard de son fils et, quand elle l'a enfin intercepté, lui adresse de ses yeux froncés un message sans équivoque. Il n'y aura pas d'autre repas de fête, chacun l'a compris.

. . . .

On peut compter sur la guerre pour démentir les plans humains et récrire les destins annoncés. Tout se précipita en cette fin février. André arrêta la date de son mariage avec Éliane au samedi suivant l'anniversaire de ses dix-huit ans puis il alla passer le conseil de révision au fort de Vincennes, où il fut déclaré apte au service armé. Dans la légende familiale, les récits divergent alors quant à la chronologie – l'enchevêtrement, plutôt – des événements, des paroles et des gestes, mais une chose paraît certaine : c'est le poids et l'autorité que le boucher acquiert soudain dans l'histoire, devenant par accident ce qu'il avait toujours manqué d'être, un chef de famille.

*

Cette fois, la sœur avait fait montre de politesse et appelé la cité de l'Air pour supplier Éliane de la recevoir. « Je suis si heureuse, minaudait-elle dans le combiné, si heureuse que tout ça finisse bien. » Et c'est une femme métamorphosée – l'ombre d'elle-même, se dit Éliane – qui se dresse à présent dans l'embrasure. Ses grosses joues sont vermillonnées par le froid d'un hiver interminable, elle a le cheveu en bataille et, en ce jour où l'une de ses fourrures aurait été tout indiquée, elle est attifée d'un triste manteau de lainage gris dans lequel elle grelotte malgré l'effort des six étages.

« Entrez, je vous sers un café bien chaud.

— Tiens, c'est pour toi. »

Elle tend un grand sac rouge et blanc à l'enseigne de la Samaritaine. Sous le papier de soie, Éliane reconnaît la peau, du mouton doré qu'elle effleure d'un revers de main.

« Je t'ai pris une veste trois-quarts, c'est plus moderne et ça fait les demi-saisons. J'ai choisi la coupe évasée, pour que tu puisses entrer dedans encore un mois ou deux. »

Éliane rougit.

« Je ne peux pas accepter, Paule. C'est... trop. Beaucoup trop.

— Tsss tsss tsss. Tu ne peux pas refuser. Tu m'offenserais. »

Dans son trouble, Éliane a failli renverser la cafetière brûlante sur le sac à main verni.

« Ce serait dommage d'abîmer votre croco.

— Ah ! Merci, ton café sent drôlement bon. Moi, je ne sais pas faire le café. J'ai tout essayé, les cafetières italiennes qui font des miracles, soi-disant, et j'ai changé de brûlerie au moins trois fois. Pour rien. Mon café c'est de la lavasse. Bon, montre-toi. »

Éliane passe la veste de fourrure, qui tombe parfaitement.

« T'es belle comme tout, princesse. Ah çà, alors ! J'ai vraiment le compas dans l'œil, moi, pas une retouche à faire. Je t'avais bien photographiée », ajoute-t-elle en se tapant le front de l'index. « Bon, maintenant qu'on est comme qui dirait famille, on se tutoie. Obligé.

— J'essaierai. Ça ne m'est pas facile.

— Faudra faire l'effort. » Elle souffle sur le café brûlant. « Quant à mon beau sac, princesse, tu n'y as vu que du feu, comme tout le monde : c'est de la tortue. C'est fait dans la peau des nageoires, oui. »

Elle dit ça avec solennité, avec aussi la bonne foi des criminels qui se savent protégés par la prescription ou bien absous par un vide juridique, comme rendant hommage à toutes les tortues sacrifiées au nom du chic – ce bon goût vulgaire qui va avec l'astrakan, la panthère et les escarpins à mors.

« On dirait du croco, pas vrai ? C'est tellement moins cher. Je t'en offrirai un pour ton mariage. Mon maroquinier les fait monter d'Espagne en douce car c'est interdit ici. À se demander ce qui ne l'est pas, d'ailleurs. » Un bref silence, puis : « Je veux qu'on soit amies. Je n'ai pas eu de sœur. On pourrait être sœurs, tout se dire, faire des sorties entre nous, en secret. Ça serait phénoménal, non ? »

(Ici, Éliane se rappelle le week-end à Trouville, le comportement imprévisible, pour ne pas dire délirant, de cette quasi-inconnue qui lui avait arraché des bras son bouquet de lis pour le jeter par une portière de voiture – cette même femme qui, le lendemain matin, affichait une humeur de pinson et, comme si rien ne s'était passé, la couvrait de compliments sur sa beauté, son goût vestimentaire, sa bonne éducation, qui promettait – déjà – de l'emmener faire du lèche-vitrines sur les Grands Boulevards.

Ils étaient sur la plage, à l'écart et enlacés, lorsque Éliane osa demander à son amant : « Ne prends pas mal ce que je vais te dire. Mais, sans te vexer, elle ne serait pas un peu spéciale, ta sœur ? Un peu caractérielle ? »

André avait ri : « Caractérielle ? Totalement givrée, tu veux dire. Siphonnée, la frangine. Marteau, zinzin, frappadingue... Et avec ça, méchante... Certains jours, une vraie teigne. Mais bon, une fois qu'on le sait, on finit par voir les bons côtés. »

Une telle verve était si rare chez André : il fallait que sa sœur fût vraiment un cas pour lui inspirer tant de mots d'un seul trait.

« Ah ? Quels bons côtés ?

— Les jours où elle est gentille, rieuse, compréhensive.

— Hum. J'ai hâte de découvrir. »

André lui avait pincé la joue – *Assez parlé de ma sœur* – avant de clore la conversation par un baiser.)

« Enceinte comme tu l'es, tu ferais mieux de marcher à plat.

— Ah non ! Paule, vous n'allez pas vous y mettre à votre tour… Des années que ma mère me fait la guerre avec mes escarpins et je n'ai jamais cédé. Les chaussures, c'est mon plus grand plaisir. Je pourrais y engouffrer des fortunes.

— Les talons hauts, ça donne des scolioses aux bébés, ça leur abîme le dos et tout le reste.

— Le reste ? reprend Éliane en riant.

— Fous-toi de moi ! Tu n'as qu'à demander à ton toubib, il te dira que j'ai raison. Cabocharde, va ! » Une pause. « Et à part ça, financièrement, tu t'en sors comment ? J'imagine que mon frère ne t'est pas d'un grand secours, le pauvre.

— Ah non ! Ça ne va pas recommencer avec l'argent. Plus d'histoire d'argent entre nous. Je m'en sors, oui.

— Le *mannequinat de détail*, je suppose ? »

Éliane encaisse le sarcasme, puis, sans prévenir, éclate de rire.

« Si vous saviez…

— Quoi ?

— Comment il m'a traitée, ce Tony. Le photographe, oui. »

La séance en studio avait été un tel cauchemar qu'elle pouvait à peine en parler. En entrant dans l'atelier, elle avait repéré trois personnes sans voir parmi elles le photographe : tête rasée, le teint gris, il était emmitouflé dans un plaid épinard et une veste en velours rouille – tellement vilain que c'est seulement en avisant les bagues berbères à ses doigts qu'elle le reconnut. Elle lui rapportait sa saharienne et son beau briquet signé. D'abord il ne vit que ça, le briquet lui avait manqué, disait-il. Puis il avait considéré son modèle tandis qu'elle ôtait son manteau et, là, était entré dans une rage atroce. Tout juste s'il ne bavait pas, métamorphosé en crapaud de lui-même. Comment avait-elle pu mentir sur sa grossesse ? Cinq mois ? Six mois ? « Regardez-vous. Vous avez les mains et les avant-bras d'une fille de ferme. Ah ! Tenez, vous m'écœurez. » La séance fut pourtant maintenue. « Passez à la manucure et au maquillage. » Éliane osa protester : « On avait dit *pas le visage*. Vous aviez promis, Tony. » Il éclata d'un rire aigu : « Espèce d'idiote. Vous croyez que je peux photographier ces mains rougeaudes et ces bras sans vie ? Un litre de fond de teint ne sera pas de trop. » Les préparatifs – manucure, massage, maquillage et pose du vernis – durèrent une bonne heure. Tony avait disparu dans la petite cuisine de l'atelier, on l'entendait hurler au téléphone dans un anglais rudimentaire. Maniant le pinceau de vernis avec une précision de miniaturiste, le maquilleur raillait gentiment l'apprentie modèle : « Ce serait bien si vous pouviez arrêter de trembler, ma jolie. Vous êtes traqueuse, hein ? Ne vous laissez pas impressionner. Il crie mais n'est pas mauvais bougre. Par contre, si vous tremblez pendant les prises, là… Il se mettra vraiment en pétard. »

Un silence cryptique régnait dans l'atelier gris, ponctué par le déclenchement des flashes et les quintes de toux du photographe. Par chance, il travaillait vite. « Tenez, voici votre chèque. Disparaissez. »

Éliane murmura qu'elle n'avait pas de banque. « Un mandat-poste, ce serait possible ? » Tony leva les yeux au plafond : « Et pourquoi pas une lettre de change, tant que vous y êtes. Démerdez-vous. Ouste ! Du balai ! Et que je ne vous revoie jamais. »

Elle s'enfuit, les joues brûlantes, les chevilles mal assurées sur ses hauts talons. Elle qui pleurait tout le temps depuis des mois (la faute aux hormones, selon Colette Cordelois, comme si ça excusait...), elle qui se surprenait à sangloter devant l'agonie d'une mouche, elle n'eut pas une larme à verser sur cet affront.

Paule l'écoute, bouche bée.

« Quel grossier personnage.

— Adieu les fins de mois faciles », soupire Éliane.

Il y a une chose qu'Éliane n'a pas comprise parce qu'elle ne sait pas encore que certains êtres sont mus uniquement par ce nerf de la guerre qu'est pour eux l'argent. *Plus d'histoire d'argent entre nous*, cette proposition ne signifie rien pour quelqu'un comme Paule, ou alors cela revient à lui dire *Plus d'histoire entre nous*, elle entendra qu'on lui ferme la porte au nez, qu'on refuse sa compagnie comme son affection.

« Dis-moi : tu prends toujours des commandes de tes étudiants ?

— Oui, j'en ai besoin.

— Et je voulais te demander : où as-tu appris l'anglais ? Chez Berlitz ? Chez Assimil ?

— Au collège et au lycée.

— Ah oui, c'est vrai, tu es allée au lycée. Bon, je sais que tu te débrouilles pour ce qui est de parler l'anglais. Mais tu saurais l'écrire aussi ?

— Oui, un peu.

— Tu saurais traduire un courrier pour les Américains ?

— Oui, je crois.

— Note bien que je pourrais le faire moi-même, bien sûr, ça n'est jamais que dix pages, mais je n'ai pas tout mon temps à moi. Car monsieur Alexandre... je veux dire Bobby... Il est perdu sans moi, je dois m'occuper de tout, de A à Z. Je suis vannée. »

La secrétaire de direction est si replète, visage rond et reposé, elle a la peau si fraîche, le teint si fleuri qu'on a du mal à la croire harassée de travail. Éliane regarde ses ongles irréprochables – pas de ces ongles qu'on casse en martelant jour et nuit le clavier d'une machine. Bien sûr, Paule ne connaît pas un mot d'anglais, pas plus que le moindre glyphe de sténo.

« Combien veux-tu ? Je te paierai bien. »

Éliane hésite, cligne de ses longs cils, avance enfin un prix qui lui paraît exorbitant – pour dix pages de traduction, la même somme qu'elle prend à un étudiant pour taper deux cents pages – mais l'autre a déjà plongé sa grosse main dans le sac en croco (*pardon, je corrige, le sac en nageoire de tortue*) et en ressort une poignée de gros billets, disant : « Tiens, je ne compte pas mais à vue de nez, ça devrait faire l'affaire. »

Éliane remercie et promet de rendre sa copie sous deux jours. Paule sourit, se réjouit, et, pour une fois, Éliane lui trouve un air de joie ordinaire – pas cet inquiétant sourire de folle qu'elle imite très bien.

« Et tu sais quoi, si je suis satisfaite, je t'en redonnerai régulièrement. Ça te fera un petit revenu en plus de ton salaire et de tes étudiants. Bobby n'a pas besoin de le savoir.

— Bien sûr.

— Et tu pourras compter sur moi, tu sais, pour prendre

ton bébé quand vous voudrez vous offrir du bon temps, Dédé et toi. Je vous le garderai le week-end, les vacances s'il le faut. »

Prendre ton bébé, un long frisson hérisse le corps d'Éliane au souvenir de certain rêve malheureux. Elle pâlit, se force à sourire : « C'est gentil à vous. Très gentil.

— Ah mais ! Il faudra que tu apprennes à me tutoyer. On est sœurs à présent, n'oublie pas notre pacte. »

À nouveau, ses airs de folle, son rire nerveux, entre gargarisme et possession.

« Et je compte bien être la marraine, n'est-ce pas ? »

Elle a dit ça avec l'aplomb de ceux qui ne s'envisagent pas désobéis, comme si le titre lui revenait de droit. Éliane s'est entendue dire oui sans résister, sans même réfléchir. (*C'est bien, les marraines ; elles sont des fées, dit-on, et veillent sur votre berceau de la naissance jusqu'à la mort. La mienne, de marraine, ce serait Carabosse, Cruella et la Castafiore réunies dans un même tonneau adipeux et pleurard.*)

Paule sourit aux nues : « Tu vois comment c'est, la vie ? Jamais deux sans trois. Tu auras fini par l'accepter, mon argent. » Elle est secouée d'un long rire étrange, telle une salve de hoquets. Éliane se demande si elle ne préfère pas la face noire, la version arracheuse de lis, à cette face angélique, cette débauche d'euphorie.

. . . .

Voici ce que Paule rapporte ce matin, où, victorieuse, elle confie avoir obtenu de haute lutte le consentement de sa mère au mariage. La scène se serait passée cinq soirs plus tôt, à la fermeture de la boucherie.

Le boucher, ce petit homme écrasé par une maîtresse-femme, aurait redressé la nuque et tapé du poing sur le billot : « Ça suffit maintenant, il faut que le gosse prenne ses responsabilités. Qu'il soit un homme et pas seulement un séducteur à la manque, un branleur qui déshonore les filles et les laisse sur le carreau avec un bâtard. Je ne rigole plus. Avant de partir à la guerre, il doit reconnaître son enfant. »

Juliette aurait haussé les épaules : « Tu viens de dire toi-même que Dédé est un gosse. Et quelle preuve as-tu que cet enfant est le sien, hein ? Quelle certitude en as-tu ? »

Maxime : « J'en ai assez entendu, de vos sornettes de bonnes femmes. Je dis que ça suffit. Si Dédé est en âge de séduire les femmes et de les engrosser, c'est qu'il est un homme et doit se comporter comme tel. »

Juliette : « Mais puisqu'on te dit que c'est elle qui l'a séduit. Qui l'a détourné. »

Maxime : « Oh ! Arrête tes salades, Juju. Bientôt, tu prétendras qu'elle l'a violé. Elle fait quarante-cinq kilos, la môme, cinquante à tout casser. J'aurais préféré autre chose pour mon fils unique qu'un mariage en loucedé, mais puisque c'est comme ça, il faut accepter. Peu importent la honte, les clients et le voisinage. Il doit régulariser la situation. Il doit reconnaître son enfant. »

Juliette, insistant : « Si tant est que ce soit le sien. »

Maxime, alors : « Réfléchis un peu, la patronne. Si c'était une fille intéressée comme tu dis, crois-tu qu'elle aurait résisté au joli pactole qu'on lui proposait ? Non, bien sûr, elle aurait sauté sur l'occasion de s'offrir une fourrure, une voiture. Une traînée se serait débarrassée du bébé et aurait repris sa vie mauvaise. »

… Ici, vrai ou non, Paule aurait pris le parti de ce beau-père qu'elle haïssait et elle aurait plaidé la cause d'Éliane. *Une fille bien, je leur ai dit, une fille très, très bien. D'ailleurs, je dois vous annoncer qu'André l'a déjà demandée en mariage.*

Alors, Maxime aurait hoché la tête, perdu : « Pourquoi il n'a rien dit ? Pourquoi mon fils ne me dit pas qu'il se marie ? Qu'est-ce qu'on a fait, Juju ? Qu'est-ce que tu as fait ? »

. . . .

Enfin, Paule prend congé. « J'attends ta traduction, sœurette. » Elle glousse pour souligner ce dernier mot. « C'est vraiment méritoire comme tu as arrangé ton petit nid. Vous serez heureux tous les trois dans cette bonbonnière. » Éliane remercie pour la veste en mouton doré. Elle commence à se faire à cette condescendance des visiteurs qui vantent ses talents ménagers plutôt que de regretter avec elle l'exiguïté du lieu. (Elle ne le sait pas encore, mais, un an plus tard, ce seront les mêmes mots flagorneurs que prononcera l'assistante sociale venue enquêter afin d'évaluer si elle méritait un logement aidé plutôt que cette boîte à chaussures. Oubliant qu'ils étaient trois humains à vivre là-dedans, la travailleuse du social s'écrierait, enthousiaste : « Mais c'est coquet, c'est charmant comme tout. Une vraie bonbonnière. »)

La belle-sœur partie, Éliane, épuisée, ôte ses chaussures et se laisse tomber sur un coin du lit. Ses yeux errent d'un mur à l'autre, glissent au sol. Sur le parquet ciré de neuf, la tache noire la défie – la brûlure de mégot.

*

Encore un pont... C'était un mois d'avril très chaud, presque estival. Éliane avait du mal à marcher et se sentait étouffer dans ce capiton de graisse et de chair qui avait pris possession de son corps. Mais on ne parlait même plus d'un corps. Vingt-quatre kilos. Elle avait pris vingt-quatre kilos et n'arrivait plus à rire en se comparant à une baleine échouée. Lorsqu'on met trente minutes à monter six étages, on perd tout sens de l'humour.

Par chance, la pimpante polyclinique de la Vache-Noire disposait d'un ascenseur. « Foutredieu ! Mais vous êtes crevée, mon chou ! » Le jeune médecin la regardait reprendre son souffle et s'éventer avec son carnet de grossesse. Elle n'avait pas pu changer de clinique comme elle le souhaitait : toutes les maternités affichaient complet pour le mois de mai. Aussi elle devait composer, oublier le dégoût que lui inspiraient les mains du type, des mains de charcutier. Pire, on aurait dit qu'avec les premières chaleurs, du poil s'était mis à lui pousser à toutes les phalanges, un poil noir façon sanglier, effrayant.

L'auscultation s'éternisait.

« On va devoir provoquer l'accouchement. On ne peut pas laisser le bébé grossir comme ça. À ce rythme, nous courons à la cata, césarienne et autres complications. »

Éliane leva vers le toubib son beau visage ravagé d'angoisse.

« Mais je ne suis qu'à huit mois. Je ne veux pas d'un prématuré. Je veux d'un bébé bien fini.

— J'ai une place dans dix jours. Ça lui fera huit mois et presque deux semaines. Ce n'est plus vraiment un prématuré à ce stade. Rassurez-vous, la technique est au point. Vous me remercierez plus tard, vous verrez.

— Je ne sais pas… Je ne suis pas certaine de vouloir ça.

— Ah ? Et vous voulez d'un monstre ? »

Éliane n'avait pas tremblé. Son visage se vidait de son sang à une vitesse si spectaculaire que le médecin lui pinça une joue.

« Eh ! Me faites pas une syncope, restez parmi nous. »

La voix tout aussi blanche que sa face, elle reprit :

« Pourquoi un monstre ? »

Le médecin rit, ses dents étaient jaunes, ébréchées. Quelle tristesse d'être jeune et si moche. Il portait, mauvaise idée, une blouse à manches courtes : au-delà des mains épaisses et touffues, ses bras aussi étaient couverts de poil noir – façon gorille, cette fois.

« Je rigolais, mon chou. Bien sûr que votre bébé sera magnifique. Pourquoi ne le serait-il pas ? Mais il faut vraiment précipiter les choses, pour vous comme pour lui.

— Gros comme il est, vous pensez que c'est un garçon, n'est-ce pas ?

— Je ne pense rien, moi. La semaine dernière, j'ai mis au monde une future miss France de cinq kilos cent. Je vous fais sourire ? Tant mieux, mon chou. C'est bon signe. »

Il fut convenu qu'elle entrerait à la polyclinique le 29 avril pour un accouchement le lendemain.

Elle préparait sa valise avec solennité, soudain émue lorsqu'il s'agit d'y glisser les minuscules layettes d'un jaune tendre, un jaune poussin. Elle se tourna vers son époux : « Tu sais ce que j'aimerais vraiment ? J'aimerais qu'on l'appelle Muriel. » André se fit enthousiaste : « Ah oui ! C'est très beau, Muriel. J'adore. » Puis il en vint à la question qui l'intéressait : « Et si c'était un garçon ? » Éliane haussa les épaules, une moue perplexe sur les lèvres. « Ce sera comme tu voudras », dit-elle.

Le jeudi 30 avril, comme l'avait indiqué l'obstétricien, une sage-femme administra à Éliane le déclencheur de contractions. Effet zéro. On réessaya. Le médecin s'énervait – il partait le soir même à Honfleur pour un long week-end de pêche avec des amis. Le bateau était réservé, l'hôtel aussi. « Un pont de trois jours, ça ne se rate pas », gémissait-il. Enfin, les premières contractions arrivèrent et le bonhomme laissa un numéro d'hôtel où le joindre ainsi que celui de la capitainerie du port. « Tout se passera bien », promit-il à la sage-femme et à la patiente. « Courage. »

Une boucherie. De l'aveu même d'une infirmière, ç'avait été une boucherie. Éliane hurlait – rien n'avançait, rien ne progressait que la douleur de ce tison de fer rouge plongé au creux des reins et fouaillant, perforant sans fin. En ce jour férié de 1er mai, la clinique privée n'attendait aucune urgence et comptait pour tout effectif de garde une sage-femme et trois infirmières. Pourtant d'astreinte, l'obstétricien était injoignable, sur la route ou déjà en mer. On essaya le chirurgien en chef puis le directeur, personne ne répondit.

L'accouchement dura trente heures au dire des infirmières, vingt-six heures selon la sage-femme. Des litres de sang furent transfusés, une poche par heure, avant que l'hémorragie ne fût enrayée. On finit par localiser l'obstétricien qui arriva en fin d'après-midi, en sandales et chemisette, un gros coup de soleil sur ses bras de singe, puant le whisky, la sueur et le varech.

Il pinça les joues exsangues de sa patiente, aboya deux

ou trois directives. Il essaya bien un jeu de mots (« Fête du travail… Vous parlez d'une fête… Elle s'en souviendra, de ce travail-là », ces mots-là ou d'autres approchants), mais aucune infirmière n'eut le cœur à en rire ; quant à Éliane, elle avait perdu conscience depuis longtemps déjà. Son corps éventré continuait sans elle et délivrerait peu avant minuit un gaillard de cinq kilos cinq cents. Onze livres, oui.

L'obstétricien vint assister à son réveil : « Foutredieu ventre de biche ! Vous pouvez vous vanter de nous avoir fait peur. La panique du siècle. » Il ne pensa pas à s'excuser : tout était sa faute à elle qui s'était laissée grossir comme une éléphante. Et l'on demeura quelque temps encore dans le bestiaire du médecin qui s'écria : « Vous savez que ça défile à la nursery, tout le monde veut voir votre fils. Les sages-femmes lui ont trouvé un petit nom, le coq de la clinique. » Elle soupira, sentit ses paupières retomber.

Finalement, elle l'avait eu, son enfant monstre à elle.

Il y a un an, jour pour jour, elle était au bal. Elle revoit les girandoles dans les grands chênes du parc Richelieu et tout ce muguet au corsage des filles.

Un an de ça, jour pour jour, elle rencontrait le jeune homme blond au front lumineux. La musique lui revient, la langueur d'un tango, l'espièglerie d'un be-bop.

Il y a un an, peu avant minuit, il la raccompagnait sur sa Vespa et, cent mètres avant la maison noire, elle lui disait de stopper. Il l'embrasse. Il sent la fougère. La fougère et la mousse. Un jour, elle dormira dans son odeur.

Et ce fut un garçon.

Elle se voyait chanteuse à texte ou tragédienne, elle en avait la voix et le physique aussi. Lui se rêvait aventurier ou footballeur, un homme qui bouge, qui court le monde.

Ils sont devenus père et mère – et leur fils un enfant fossoyeur.

OÙ MAINTENANT ?
QUI MAINTENANT ?

Tu n'iras pas à la guerre

André voulait appeler son fils William. Éliane avait accepté sans discussion – aucune importance puisqu'elle attendait une fille et que le père était d'accord pour qu'on l'appelât Muriel. (Ici, on pourra s'étonner de la grande proximité, de la presque homophonie avec le prénom de Myriam.) Lorsqu'elle sortit du coma où l'avait plongée la douleur, elle se trouva face à un nourrisson mafflu nommé William. Et elle refusa. Faute de pouvoir marquer sa déception du sexe de l'ange (ces choses-là ne se disent pas), elle fit la guerre à *ce nom de poire*. « Imagine-le dans la cour d'école, les railleries de ses camarades qui le traiteront de poire et de je ne sais quoi encore. » André s'entêta. Pour le peu de souvenirs qu'il gardait d'une scolarité erratique, il se rappelait deux ou trois récréations musclées et pouvait témoigner : dans les cours et sous les préaux volaient des noms d'oiseaux cent fois plus injurieux que celui de poire.

Elle rassembla ses forces, se dressa sur ses coudes et protesta que non, William n'était pas envisageable : « Tu sais que je déteste les surnoms et les diminutifs. William ? Et puis quoi ? Ce sera Will, Willy, Bill, Billy.

— J'adore Billy.

— Non, c'est non. On peut l'appeler Guillaume, si tu veux, c'est la traduction française de William, en plus beau. » Contrarié, André réfléchit. Les masséters pulsaient sous la peau des joues. S'en foutait, de la traduction. « Que dirais-tu de Gilles ? » Éliane fronça ses beaux sourcils, l'air de décider de l'avenir du monde, puis hocha la tête en signe de conciliation : « Gilles, c'est joli. »

On passera sur l'inconséquence de la jeune mère qui venait, pure étourderie ou grosse fatigue, de s'engager pour vingt ans d'un vain combat : jamais elle ne pourrait éradiquer la foule de ceux qui se rueraient pour affubler son fils d'un mièvre et désolant *Gillou.*

. . . .

Parfois elle se souvenait. *Pour toi je n'ai et n'aurai aucun secret.* Elle riait en se rappelant les recettes de bonnes femmes pour me faire passer, la plus ridicule étant selon elle le saut en lessiveuse. *Mais non, tu t'accrochais. Rien à faire contre ton envie de vivre.*

Et pour finir, c'est moi qui avais failli la tuer.

Le père, lui, se souvenait des virons en Vespa : la fille bien assise à l'arrière, ses bras fluets noués au torse de son amant. Il cherchait les dos-d'âne et les pires ornières où plonger, il freinait fort, faisait se cabrer la machine, pour rien. De ruade en soubresaut, le même constat mi-désolé, mi-amusé : *Tu n'as pas lâché. Normal, tu étais mon fils.*

Et je les regardais, encore jeunes, encore beaux, en me demandant ce que je représentais pour eux sinon un parasite indélogeable, un fléau chronique, une catastrophe. Leur catastrophe.

Les larmes n'avaient pas le temps de couler, elle était déjà là, me pressant sur sa douce poitrine et soufflant *Je t'aime*, il était déjà là, sa barbe adorée piquait, il me chatouillait sous les bras et grondait *Mon fils, mon junior*, car celui qui n'avait pas voulu de moi, dès que je fus au monde, se sentit soudain grandi par son fils et ce fut, paraît-il, une fête continue pendant huit jours, les copains en parleraient longtemps de cette semaine-là qui vit le jeune père abandonner aux bons soins de la polyclinique la mère anémique souffrant de toutes parts et le nourrisson parasite devenu son héros.

. . . .

Peu après le mariage (on ne parlera pas de cette farce grotesque, la cérémonie bâclée dans une église de Montrouge, en territoire neutre, loin des voisins de Bagneux et loin des clients de la boucherie – pas plus qu'on n'encadra ce cliché officiel témoignant de la pauvreté du spectacle, les époux posant derrière une haie d'hortensias afin de cacher l'énorme ventre de la mariée dans sa popeline écrue), peu après cette formalité, donc, Éliane était allée trouver le général Hervieu : « Que vais-je devenir quand mon époux sera appelé sous les drapeaux ? Je serai toute seule, vingt-huit mois. Un temps interminable.

— C'est la guerre, avait répondu Hervieu. Je n'ai pas envie de vous savoir veuve avec un nourrisson sur les bras, mais je ne peux rien vous promettre. »

Il n'interviendrait pas personnellement – c'eût été trop

s'exposer – et il orienta sa jeune secrétaire vers l'aide de camp d'un illustre général de la Seconde Guerre, un homme de l'ombre qui pourrait, lui, user de son influence dans les antichambres. Pour une raison que j'ignore – sans doute fallait-il agir vite, avant l'envoi imminent d'un nouveau contingent en Algérie –, il fut convenu qu'André devrait devancer l'appel.

Il était père depuis huit jours lorsqu'il trouva sous la porte de la mansarde une petite enveloppe très attendue, frappée du drapeau tricolore, qui lui apprit son affectation à la base aérienne de Châteaudun.

Éliane avait espéré Villacoublay, la base aux portes de Paris, mais l'éminence grise s'était raidie à cette suggestion, lui rétorquant en substance : « Ne dépassez pas la mesure, jeune dame. Rappelez-vous que nous sommes en guerre, que c'est une sacrée fleur que nous vous faisons, et ce sera déjà beau si votre époux peut venir vous voir en permission pendant ces vingt-huit mois. » Toute rouge, elle avait murmuré merci.

La joie des époux Leroy en apprenant que leur fils ne partirait pas au front faisait plaisir à voir. Les clients de la boucherie s'étonnaient de l'humeur radieuse de la bouchère, de ses ristournes et de ses cadeaux.

Et ce furent trois nouvelles semaines de fête ininterrompue, pendant lesquelles André ne dormit pas, s'abreuva de bière et de bourbon, oublia de manger.

« Toi, dit Maxime à Éliane, tu peux te vanter de m'avoir fait coup sur coup deux beaux cadeaux. Tu es ma fille, à présent. Tu comprends ça ? Pas ma bru : ma fille. »

Elle avait retroussé les lèvres, croyant sourire, et murmuré : « Alors comme ça, j'ai gagné un papa », puis sa tête était retombée sur le côté parmi le fouillis d'oreillers, inerte et molle comme la tête des poupées de chiffon.

Éliane allait rester hospitalisée un mois. Les hémorragies se multipliaient, on dut l'opérer deux fois, la recoudre au moins cinq fois. Et cette anémie qui ne passait pas…, ce sang qui ne coagulait plus… Le corps faisait sécession, fuyant de toutes parts, résolu à ne jamais guérir.

Le jour arriva où le jeune père dut faire son paquetage et rejoindre sa base. Les adieux se firent à la clinique. La tête penchée de côté comme s'il cherchait à percer un mystère, André contemplait son fils endormi dans la minuscule nacelle, tout contre le lit d'Éliane. Juliette le serra dans ses bras : « Ne t'inquiète pas. On va bien s'occuper de ta femme et de ton petit. Il a déjà sa chambre et son berceau. J'ai fait provision de layette. On va les bichonner tous les deux et, pour elle, ce sera viande rouge le midi, foie de veau le soir. On va la remettre sur pied en vitesse, promis. »

Ils étaient loin d'imaginer qu'Éliane sortirait de la clinique un matin sans les appeler, son fils dans les bras, et qu'elle regagnerait en taxi sa chambre sinistre, là-haut, sous les toits.

« Un sixième sans ascenseur, gémissait Juliette. Jamais je ne pourrai monter tout ça. » La bru ne serait-elle pas un peu *fière*, sinon ingrate ? Paule prit un air blessé : « Je vous avais prévenus qu'elle était pimbêche. Mais vous ne m'écoutez jamais. C'est une ambitieuse. Elle voudra tout. »

Juliette frissonna, Maxime lâcha entre ses dents :

« Tout ? Tu veux dire : tout ce que tu n'auras pas déjà

pris ? Ou bien tout ce qui lui revient de droit parce qu'elle est la femme de mon fils et la mère de mon petit-fils ? »

En bientôt vingt ans de cohabitation, jamais le boucher ne s'était montré aussi clair et précis avec sa belle-fille. Paule se mit à suffoquer, feignit un malaise et se roula au sol dans la sciure. Alors Maxime entra en colère. Rien n'est plus spectaculaire que la colère soudaine d'un homme doux que l'on croyait faible et soumis à jamais. On l'avait déjà vu se fâcher, oui, râler, protester – mais jamais longtemps ni trop fort. Pas comme ce matin-là. C'est tout juste si les vitres de la devanture ne tremblaient pas sous les décibels. Médusée, devenue grise, Juliette dévisageait le barbare surgi sous le masque du brave époux. Sans bruit, elle écrasa une larme, deux larmes, puis elle cacha son visage inondé dans le foulard qu'elle portait au cou. La voyant en pleurs, Paule sourit puis se releva. En silence, elle épousseta avec soin sa robe souillée de sciure puis, sans un regard pour sa mère, elle attrapa son sac, son gilet et sortit. Depuis le trottoir, elle adressa au boucher un bras d'honneur avec un large sourire. Elle venait de gagner un point décisif : le boucher aimait trop Juliette pour supporter de la voir pleurer, et Juliette aimait trop sa fille pour oublier jamais ce qu'il avait dit.

La guerre était déclarée, la vraie, la grande. Qui ne connaîtrait pas d'issue, ou disons pas d'autre terme que la mort des belligérants.

*

Près de deux années avaient passé. C'était la nuit sur la base éteinte. À moitié endormies dans leur guérite, deux sentinelles gardaient l'entrée de l'aérodrome militaire lorsqu'un cortège se présenta, six motards et une grosse voiture noire pavoisée. Voyant les uniformes étoilés, barrettes, galons et képis prestigieux des passagers à l'arrière de la voiture, les deux plantons ne posèrent pas de question, laissèrent passer la voiture et son escorte. On les mit aux arrêts le lendemain et ils furent jetés au trou : sans le savoir, ils avaient fait entrer deux généraux séditieux qui, depuis le tarmac, avaient grimpé dans un avion pour rejoindre Alger et y tenter un putsch. On accusa les deux troufions de complicité de coup d'État, de complot armé et d'un troisième crime que j'oublie mais qui était tout aussi pertinent que les deux autres chefs d'inculpation. Et on les laissa croupir tous deux au cachot pendant dix jours, jusqu'à ce qu'un médecin major en visite sur la base s'intéresse à leur cas. Ce n'est que trois semaines plus tard, en sortant de cellule, qu'André apprit que l'un des deux généraux rebelles était Chanel. Il aurait pu le reconnaître, mais il ne l'avait croisé que deux fois, dans le hall du 93 boulevard Montparnasse, et chaque fois le général était en civil. L'eût-il reconnu, qu'est-ce que ç'aurait changé ? « Ça n'aurait fait qu'aggraver ton cas », supposait Éliane. Non, le pire dans tout ça, le plus injuste, c'est qu'André ce soir-là n'avait plus que quatre mois à tirer – et ces semaines au gnouf repoussèrent sa libération d'un mois.

On lui avait promis une permission pour fêter les deux ans de son fils – voilà qu'il l'avait passée en cellule. Alors il fit le mur, gagna Paris en stop et Éliane eut très peur en lui ouvrant la porte : comme tous les soldats punis, il avait la boule à zéro et ça lui faisait une tête de bagnard sanguinaire.

C'est un jeune homme sifflotant (un mari et un père comblé) qui se présenta deux jours plus tard à l'entrée de la base et tendit, hilare, ses poignets aux deux plantons ses copains. Ils l'attrapèrent et le ramenèrent direct au mitard. On rappela le coiffeur pour lui raser à nouveau le crâne et la tondeuse peina à trouver deux ou trois millimètres de cheveux.

*

Je ne reconnus pas mon père lorsqu'il rentra de l'armée. C'est un quasi-inconnu qui revenait vivre parmi nous. Il avait un début de ventre et sa tête était dégarnie. La calvitie s'en était prise en premier à la longue mèche blonde dont ses doigts, pur réflexe, cherchaient encore à relever la masse fantôme. Pendant son armée, il avait appris à conduire et obtenu son permis sur la base de Châteaudun. Bientôt, on roula en voiture, une voiture française imitée des belles Américaines, bleu ciel avec des ailerons bleu cobalt. Elle portait un nom de château, chambord ou versailles, je ne sais plus. Ce que je revois clairement, c'est le chagrin de mon père le jour où il dut revendre sa Vespa, ce crève-cœur d'un ancien jeune homme devenu chef de famille à qui l'on répète qu'une famille, ça ne se transporte pas en deux-roues.

Les sacrifiés

Sans moi, sans ce fardeau de ma naissance, il aurait gardé la Vespa, sa longue mèche blonde et ce corps athlétique, mince et affûté, que je n'ai pas connu mais que je peux voir sur les photos de jeunesse où il pose, torse nu, avec ses partenaires de foot.

Sans moi, sans le mariage précoce que j'imposais, il aurait sans doute suivi ce découvreur de talents qui hantait les terrains vagues de la Zone et l'avait repéré à l'automne, quand André savait déjà qu'il serait père ou disons qu'un enfant menaçait de lui tomber dessus. Cet homme – une sorte d'impresario ainsi qu'il se présentait lui-même et qui ressemblait plutôt à un truand ou à un avocat pour truands, cet homme caché derrière d'épaisses lunettes noires promettait de le prendre dans son écurie de jeunes espoirs du football et jurait de le faire entrer dans le circuit professionnel. « Laisse-moi six mois, disait l'agent. De ton côté, donne-toi six mois à t'entraîner, sept jours sur sept. Plus de boulot à la noix, plus de famille, plus de gisquette dans les pattes. Ne joue pas les étonnés : je t'ai vu l'autre jour, qui roulais des yeux de merlan frit à une jolie brune. Tu largues tout ça. Suis mon programme et dans six mois je te fais signer dans un grand club. Tu m'écoutes ? »

Bien sûr qu'il écoutait. Et se tourmentait sans savoir que faire.

Il n'en avait rien dit à Éliane et n'en aurait jamais rien dit si Paule, vendant la mèche, n'avait dévoilé cet épisode des années plus tard, un soir de Noël où nous étions tous rassemblés dans la maison noire – entassés plutôt, étouffant à onze autour de la table d'Albertine. (Oui, ceux de la maison noire et ceux de la boucherie parisienne passèrent plusieurs Noël et Saint-Sylvestre ensemble : ça se fréquentait au nom du rituel, sans s'apprécier plus que de nécessaire.)

Paule n'eut pas à raconter la résolution du dilemme, tout le monde la connaissait. Les yeux de ma mère s'embuèrent, sa main chercha celle d'André sur la nappe et elle la serra. Si minuscule, si fine et diaphane, la main de ma mère posée sur le poing puissant de mon père – lequel, mâchoires serrées, ravalait lui aussi son émotion.

Dans un beau concert, telle une volée d'oiseaux obéissant à un signal muet mais impérieux, dix paires d'yeux fondirent sur moi. Des regards écarquillés et intenses (à l'exception de celui de Myriam qui n'avait fait que suivre la direction des autres), où je pouvais lire des sentiments superposés comme la stupeur, l'affection, la tristesse aussi. Je compris que j'étais pour quelque chose dans cette histoire de chance perdue. Le renoncement au foot, c'était ma faute. La belle vie avortée, c'était moi.

Je baissai le nez sur mon assiette. André vit-il ma peur ? « Le foot, dit-il à la surprise générale, ce n'est jamais que jouer au ballon. Footballeur professionnel, ça veut dire que tu vas rester toute ta vie en enfance, tu n'en sortiras jamais. Un homme a autre chose à faire de son temps sur terre. Je suis content de ma vie, fier de ma femme et de mon fils. » Il me décocha un clin d'œil bleu rieur. J'aurais voulu lui sauter au cou mais mon père repoussait avec gêne des effusions qui n'étaient plus de mon âge, disait-il : le seul accès que j'aurais désormais à son corps, c'était le chahut, la boxe pour rire, les fausses prises de judo.

*

Sans moi, peut-être qu'elle aussi aurait tenté sa chance, franchi un après-midi la porte d'un cabaret de la rive gauche et là, s'installant au micro dans une robe de velours noir, aurait proposé un tour de chant avec ses titres préférés de Barbara, de Gréco et de Ferré.

Je ne me lassais pas d'imaginer leur vie sans moi, et cette obsession faisait un mal de chien. Quels enfants auraient-ils eus, ensemble ou séparément ? Quels enfants aurait-elle eus avec un autre ?

Devenue chanteuse ou comédienne, Éliane aurait-elle cédé à l'impératif d'être mère ou bien, comme tant d'artistes, aurait-elle redouté ce lien peu compatible avec une existence de tournées et de nuits blanches ? Et cet enfant de la balle, aurait-ce pu être moi quand même ? Oh ! J'aurais adoré, comme j'ai toujours envié les enfants des cirques itinérants, dispensés d'école, de mansardes et de maisons noires. On racontait que c'était des enfants volés.

. . . .

Il paraît que tout le monde a fait ça ; que chaque enfant s'est livré un jour à ce jeu de s'imaginer d'autres parents. Ceux qui l'élèvent seraient des faux, des usurpateurs, et, quelque part à travers le monde, ses vrais géniteurs – des êtres formidables – le pleurent à gros bouillons depuis qu'ils l'ont perdu. Les possibilités spéculatives sont multiples, voire infinies : la troupe de bohémiens qui passe et hop ! plus d'enfant au jardin ; une infirmière étourdie ou tordue qui échange les bracelets d'identité de deux nouveau-nés à la nursery ; des jeunes parents si endettés que l'État n'a plus qu'une chose à leur prendre, leur enfant ; deux amants fantastiques, roi et reine du hold-up traqués par la police et forcés d'abandonner leur plus cher trésor au premier tourniquet venu – la mort dans l'âme, évidemment.

On voit bien tout le bénéfice qu'il peut y avoir à décider que ceux qui vous élèvent sont des imposteurs et qu'un jour viendra où vos vrais parents, pour vous sauver, détrôneront ces deux étrangers qui ont contrefait le livret de famille. Mais pour prendre plaisir à une telle uchronie, il faut que ces enfants – les ingrats, les nantis, les gâtés pourris – aient été ardemment désirés, eux. Si vous avez d'abord été l'intrus, l'hôte indésirable, le crapaud dans le diamant de l'amour, vous n'avez pas cette prétention luxueuse : *déjà beau d'être en vie*, vous dites-vous. Enfant, peut-être parce que je pressentais dans une angoisse diffuse que je devais *vraiment tout* à ces deux-là, je ne rêvais pas d'autres parents : ils étaient parfaits et pour rien au monde je n'en aurais changé.

. . . .

Qui aurais-je été, moi, si Éliane m'avait eu d'un autre homme ? Je n'eus pas à chercher loin ni à changer le prénom. Aurais-je pu être le fils de l'aviateur ? À une lettre près, oui, consonne contre voyelle, le nom lui-même collait. Si elle m'avait conçu avec ce lieutenant Delor, j'aurais été un homme doux, sans doute, et posé comme lui. J'essayais de me représenter physiquement : de taille moyenne, voire petit, de corpulence fine et sèche, j'avais la peau brune, des cheveux noirs frisés, denses et brillants – plus rien à voir, enfin, avec cette plaie de rouquin à la peau trop fragile ; quant aux yeux, j'hésitais entre les yeux verts du jardinier Gaston et les yeux dorés du gamin des coteaux algérois. Mon imagination s'arrêtait là et le commencement de fiction s'éventait aussitôt, aporétique et sans issue, puisqu'on ne récrit pas l'histoire, celle de son corps encore moins que celle des hommes.

Effacer mon père, le lâcher dans l'espace de l'espèce, l'hypothèse était condamnée d'avance tant il m'a laissé de ses traits humains – le sourire, l'impatience, une certaine joie de vivre suicidaire – et tant il m'a transmis de ses gènes nocifs – l'alcool, la violence, la mélancolie : je suis à tel point son fils et son rejeton que jamais sans lui, jamais avec un autre que lui, Éliane n'aurait pu me concevoir.

Quant à jouer à qui j'aurais pu être, né d'un couple formé par mon père avec une autre femme, j'y ai chaque fois échoué. Ça ne tenait pas la route une seconde. C'est la preuve par la mère, dira-t-on. La preuve par le vase sacré, qui abolit tout fantasme d'une filiation de rechange.

Les dés sont jetés, sur la combinaison desquels on ne revient pas : l'enfant qu'Éliane faisait avec André, cette nuit de 15 août à Trouville, n'aurait pu être identique conçu par d'autres partenaires, ni même une autre nuit avec ces mêmes partenaires. Cet instant unique était le mien. Il n'y en aurait pas eu d'autre ensuite. Nulle seconde chance d'être. Ce qui n'a pas été ne sera pas plus tard.

Une autre histoire

J'ai rencontré le lieutenant Delor – ce qui restait du lieutenant Delor – sur un lit d'hôpital. J'avais cinq ou six ans lorsque ma mère m'emmena au Val-de-Grâce lui rendre visite. Encore l'expression est-elle excessive : c'était s'asseoir au chevet d'une ombre et contempler sans fin quelqu'un qui mourait sans fin. André Delor me foutait une trouille terrible avec sa peau olivâtre, son crâne trépané, son bras droit truffé de ferraille. Pour me rassurer, Éliane se montrait vaillante, optimiste : « Rends-toi compte, le mois dernier, il ne respirait pas tout seul, il fallait une machine pour l'aider ; il n'ouvrait pas les yeux, ou plutôt, les paupières s'ouvraient, mais les yeux fixaient le plafond... Et maintenant, il reconnaît son monde. Il te regarde, tu vois ? » Les yeux jaunes du malade m'avaient l'air éteint et, si vraiment ses regards s'adressaient à ma mère ou à moi, on peut dire que notre présence ne le réjouissait pas, non : elle semblait plutôt l'accabler de tristesse. Ce type avait quelque chose de fichu, de grillé dans le cerveau – et je suppliais Éliane de me laisser sortir dans la cour où d'autres enfants jouaient parfois, fils et filles de militaires venus voir leur héroïque père blessé au combat ou simplement convalescent. Je les observais sans les approcher : je n'étais pas l'un d'eux.

Après la deuxième visite, je demandai : « Au juste, c'est qui pour toi le monsieur du coma ?

— C'est un ami. Un collègue et un ami. » Elle se mordit la lèvre inférieure et, levant les yeux sur le plan de la ligne de bus, elle s'absorba dans le déchiffrage d'un trajet qu'elle connaissait par cœur. Furieux, je collai mon front à la vitre.

« Recule-toi de la vitre. C'est sale.

— Arrête de mentir. C'est mal.

— Que vas-tu te mettre en tête ? André Delor est un ami très dévoué, qui m'a beaucoup aidée par le passé. Tu n'étais pas né. »

Éliane apportait des magazines et des journaux que le lieutenant ne lirait pas, elle apportait aussi un paquet de troupes qu'il ne fumerait pas, des biscuits secs qu'il mâchonnait avec un vague ennui, sinon un dégoût poli. Le troisième samedi, elle fit un détour par le restaurant à couscous de l'avenue du Maine où elle acheta des pâtisseries dorées de miel ainsi que des pâtes d'amande vert et rose. Lorsqu'elle ouvrit le carton et le lui présenta, André Delor esquissa à peine un sourire, comme une grimace de plaisir. Il plongea la main dans le carton, en ressortit un cube tout poisseux de miel qu'il engloutit d'une seule bouchée, et, cette fois, le regard qu'il porta sur ma mère, si brillant, était un vrai regard de joie et de gratitude. Un ami dévoué ? Un ami dévoué ne vous regarde pas comme ça. Un ami dévoué n'a pas les yeux dorés. Il poussa le carton à pâtisserie devant moi et, du menton, me proposa de goûter un gâteau.

Plus tard, dans le bus 38, Éliane dirait : « Je suis contrariée, tu sais. C'était infiniment grossier, cette façon de refuser le gâteau qu'André t'offrait. » J'en voulais à la terre entière, je crois, mais il n'était pas question de fâcher ma mère et j'appliquai cette technique découverte dès le plus jeune âge : d'agresseur, se faire victime. Je pris une voix éplorée.

« Faudrait savoir, maman : je n'ai pas droit au sucre ou j'y ai droit ? Il dirait quoi, le docteur Murat ? »

Elle me couva d'un œil noir et soupira, comme chaque fois que je gagnais l'échange. J'étais pourtant loin de me sentir victorieux : m'ayant pesé, le jeune médecin formé en pédiatrie aux États-Unis avait sorti un rapporteur et une série de diagrammes avant de se livrer à d'obscurs calculs d'où il ressortait que j'avais deux kilos à perdre et qu'on devait me mettre illico au régime basses calories, sans sucres et sans féculents.

« Parce que tu vois, si j'avais droit au sucre, eh bien... c'est pas ces gâteaux tout poisseux et tout dégoulinants dont j'aurais envie – beurk. Ce qui me ferait plaisir, ce serait un éclair au chocolat, des profiteroles, une forêt-noire. Ça oui, j'accepterais volontiers.

— Volontiers, monseigneur ? »

Ma mère éclata de rire, les passagers voisins sourirent.

Le samedi suivant, je demandai à passer le week-end à la maison noire avec Myriam, et ma mère trouva ça gentil de ma part. Le samedi d'après, je fus malade. Et le samedi encore après, je pris ma première leçon de judo au dojo de la porte de Montrouge qui venait d'ouvrir. Mon père m'y avait inscrit deux jours plus tôt sur ma prière et dans le plus grand secret : « Tu sais, papa, je rêve de faire du judo. Bien sûr, maman ne voudra pas, elle qui déteste le sport, qui dit que ça rend idiot. » Éliane ne fut pas dupe de ce *secret entre hommes* et n'insista plus jamais pour me traîner chez les zombies du Val-de-Grâce.

La sortie du coma fut longue, interminables les réapprentissages : le lieutenant Delor recouvra d'abord la parole, mais une parole diminuée, lente et pâteuse, comme s'il était tout le temps ivre ou somnolent ; ses pertes de mémoire étaient incommensurables et ses réflexes ceux d'un vieillard ; malgré une rééducation acharnée, son bras et son poignet droits opérés tant de fois restèrent raides et il fallut se rendre à l'évidence : jamais plus il ne monterait dans un cockpit, et, comme il ne pouvait pas plus tenir un stylo ou un raisonnement qu'un manche d'avion, la vie de bureau lui était tout autant fermée. Il quitta l'armée pour prendre la gérance d'un cinéma sur l'avenue des Gobelins. C'est là que je le revis. Il n'était pas malheureux : il était le malheur même. Autre chose que les fonctions motrices ou la mémoire avait été endommagé. Parfois, on l'aurait cru la proie d'hallucinations violentes. Ses yeux dorés prenaient feu, à son front les veines s'engorgeaient et il vous regardait comme s'il allait vous sauter au cou pour vous étrangler. C'était l'affaire de quelques secondes, comme d'un court-circuit sous sa boîte crânienne, mais de ces secondes que l'on n'oublie pas.

C'est pourtant de cet homme brisé, et de lui seul parmi les autres hommes, qu'ils se prénomment André ou pas, que j'avais imaginé un jour être le fils. (J'ignorais alors qu'il s'était lui-même proposé, trois mois avant ma naissance, pour devenir mon père. « Faire face », avait-il dit un soir en prenant les mains d'Éliane sur la table de bistrot où leurs deux cafés fumaient. « Je saurai faire face, vous épouser et élever l'enfant d'un autre. Non seulement je l'élèverai, mais je l'aimerai comme tout ce qui vient de vous. »)

Nous allions souvent aux Gobelins les dimanches où mon père (le vrai) était de permanence à la kermesse que monsieur Alexandre venait d'ouvrir sur le boulevard Rochechouart, entre les places Blanche et Pigalle – trois cents machines en sous-sol, un lieu inhumain, électrique et hurlant. Je n'ai jamais aimé les jeux automatiques et, bien qu'expérimenté dès le premier âge, jamais brillé non plus au flipper qui ne me procurait qu'un plaisir triste, celui d'agacer mes camarades d'école : eux auraient rêvé d'un père dans le commerce des machines à sous, doté de la clé magique qui neutralise les monnayeurs et fait de l'existence une partie de jeu perpétuelle.

Je préférais le cinéma, moi. Le cinéma, c'était quelque chose.

Celui des Gobelins comportait deux salles modestes, l'une en rez-de-chaussée, l'autre à l'étage. Dans celle du bas, on montrait les films en première exclusivité et les classiques ; dans celle du haut, les péplums et les films bibliques à grand spectacle. J'aurais passé ma vie sans bouger du premier étage. Hélas, Éliane venait m'y chercher, elle m'arrachait aux courses en char, aux chevaux ailés, aux lions qui lèchent les mains des gladiateurs et aux mers qui s'ouvrent en deux, *toutes ces sornettes vont t'abrutir, mon fils,* et voici qu'elle me traînait dans l'escalier jusqu'à cette salle du bas où démarrait la projection de *La Strada,* un film en noir et blanc, *Il faut que tu voies ça, mon chéri, c'est magnifique,* pourquoi tous les films magnifiques étaient-ils en noir et blanc, le jeune André Leroy avait posé la question et je la posais à mon tour. *Je ne sais pas, mon chéri, toujours est-il que les grands cinéastes boudent la couleur... sans doute parce c'est un peu vulgaire,* ajoutait celle qui depuis qu'elle était devenue mère ne s'habillait plus que de noir – été comme hiver, du noir exclusivement. Il y eut, inévitable, ce jour où André Delor voulut faire plaisir à Éliane et programma *Quand passent les cigognes.* Magnifiques également, je le savais, les films qui vous tirent des larmes – mais celui-là m'intriguait, celui-là possédait une force d'attraction supérieure, *Je l'ai vu cinq fois pendant que je t'attendais, c'est te dire si c'est beau,* et je voulais moi aussi connaître l'envoûtement, au point que j'en oubliai le péplum diffusé à l'étage, un très prometteur *Maciste dans la Vallée des Rois.*

Un dimanche soir, tandis que Delor nous raccompagnait au métro de la place d'Italie, je vis ma mère sursauter et se raidir à l'approche d'une petite femme brune à cheveux courts, très maquillée et corsetée dans un imper à col officier.

« Que fais-tu là ? demanda la femme d'une voix rauque et chaleureuse.

— Je sors du cinéma. Et vous ?

— J'y vais.

— Quoi ?

— Je me rends au cinéma. C'est mon cinéma de quartier. Tu as oublié que j'habitais le quartier ?

— Je croyais que vous aviez… déménagé.
— Hum. Logique. C'est pour ça que tu as jeté mon numéro de téléphone et mon adresse. »

Amusé, André Delor salua la cliente, une vieille habituée qu'il appelait par son prénom, puis, s'adressant aux deux femmes : « Vous vous connaissez ? »

Éliane : « Colette est une ancienne collègue. »

Colette : « Oh ! Je crois qu'on peut dire une ancienne amie. On était ensemble au *93*, à l'aviation civile. »

André Delor : « Mince alors ! J'ignorais que vous travailliez au *93*… » Pause. Il réfléchit. « Vous voulez dire, Colette, que vous êtes la fameuse madame Cordelois ? »

Colette : « Fameuse en quoi ? »

Delor : « J'ai entendu parler de vous pendant des heures. Vous étiez très attendue à la cité de l'Air. »

Colette, allumant une Gitanes, prenant son temps : « Je sais, je n'ai pas tenu parole. » Se penchant vers moi comme si elle découvrait ma présence : « Et ce jeune homme, alors ? Est-ce bien celui que je crois ? Celui qui aurait dû être mon filleul ? Tu en as, de belles boucles rousses. Attention, tu vas rendre les filles jalouses. »

Je ne sais ce qu'elle entendait par cette dernière phrase, mais je la maudis d'avoir pointé en si peu de temps l'objet de mon désarroi : avec ces cheveux bouclés, trop longs, trop roux, on me prenait pour une fille. D'abord, j'avais aimé cette tignasse qui me distinguait. Le jour où mon père avait demandé au coiffeur de *tailler* tout ça, j'avais pleuré, supplié, hoqueté jusqu'à m'étouffer de mes propres sanglots. À présent, je ne souhaitais plus que ça, une tondeuse, une bonne brosse et qu'on n'en parle plus, ni en famille ni dans la rue, ni dans la cour de récré ni au dojo. Mais les femmes s'étaient liguées pour défendre mes cheveux, celles de la maison noire comme celles de la boucherie, et mon père, lui, terrifié par la violence de ma crise chez le coiffeur, n'avait aucune envie de réveiller ce machin démoniaque en moi. Sa sœur avait d'ailleurs trouvé la parade sociale à notre bizarrerie, une pirouette que tous reprenaient : « Oui, le môme porte les cheveux longs comme ça s'est fait pendant des siècles, comme ça se fait encore dans les très grandes familles. »

Dans l'année qui suivit, de loin en loin, il nous arriva de nous retrouver le dimanche tous les quatre chez Colette Cordelois. On déjeunait tôt car le cinéma devait ouvrir à 14 heures. Le dessert avalé, j'emboîtais le pas à André pour assister avec lui aux préparatifs d'ouverture, la visite à la cabine de projection, le projectionniste toujours de mauvais poil ou bien si concentré qu'il ne disait mot, les deux ouvreuses sortant leurs éventaires du placard réfrigéré et réassortissant leur *confiserie*, comme elles disaient, tant d'esquimaux, tant de cornets glacés, tant de cacahuètes grillées, tant de barres chocolatées, rangeant leur monnaie dans les compartiments de l'aumônière – aura-t-on assez de pourboires ? Aura-t-on assez de petite monnaie ? – et pour finir elles vérifiaient les piles de leur lampe-torche et se recoiffaient dans un face-à-main glissé parmi les friandises.

C'est au moment où je me prenais d'affection pour l'homme brisé qu'il allait brutalement quitter notre existence. Au troisième ou quatrième déjeuner chez Colette, Éliane comprit : sa vieille amie nourrissait à l'endroit de l'ancien aviateur des projets qui n'avaient rien de maternel ni d'exclusivement amical. Parce qu'elle avait honte d'en être jalouse, elle décida d'encourager leur union. Plus tard, elle prétendrait que ça l'avait soulagée d'un poids – ce poids d'une amitié contrainte par la culpabilité de n'avoir pas offert au lieutenant ce qu'il désirait. C'était peut-être sincère. Mais si j'en crois les regards qu'elle lança à Colette ce dimanche-là, tout aussi sincère était sa colère contre elle.

« Tu désapprouves, hein ?

— Pas du tout. Je suis contente pour André. C'est un homme bon, vous savez. Il faudra être à la hauteur de sa bonté. Je m'inquiétais de le savoir si seul, tout le temps seul.

— Et pour moi, tu n'es pas contente ? Ne réponds pas. Pas la peine. Je ferai tout pour le rendre heureux, sache-le.

— Commencez par le rendre moins malheureux, ce sera déjà beaucoup.

— Comme tu es dure. Décidément, tu réprouves.

— Vous ne comprenez pas. Mon mari s'inquiète depuis quelque temps. Il prend ombrage, s'imagine des choses. Une femme mariée n'a pas à fréquenter comme ça un homme célibataire. Ça ne se fait pas. La vérité, c'est que vous tombez au bon moment : j'allais prendre mes distances, de toute façon. »

Colette s'empourpra et se mit à supplier : « Ah non ! Ne t'éloigne pas ! Il croira que c'est ma faute, que c'est moi qui t'ai demandé de déguerpir ou je ne sais quoi. Il tient tellement à toi.

— Il se détachera. Tout le monde se détache à la fin. »

La distinction

Il y eut deux années où nous vécûmes dans une certaine proximité avec Paule et le livreur. Deux années durant lesquelles les couples se reçurent chaque semaine, le jeudi soir, et en vérité c'était plutôt Paule qui recevait dans le grand appartement qu'elle louait avec le livreur, à cinq minutes de chez nous. Elle était heureuse et ça crevait l'écran, pour reprendre la métaphore ambiguë d'Éliane (une image qui n'était pas sans rappeler les talents d'actrice de Paule, *ses scènes, son cinéma*), ça la rendait plus pacifique, moins exaltée. Même avec son beau-père, elle avait signé une sorte de trêve.

Le jeudi, parce que c'était l'unique jour de congé de mon père.

Le jeudi soir, parce que Paule et le livreur possédaient un téléviseur et que, ce soir-là, la première chaîne française diffusait un feuilleton américain, *Les Envahisseurs*. Le titre était bien trouvé puisque chaque nouvel épisode occupait les discussions pour une semaine et, des cours de récréation aux corridors des ministères, tenait en haleine le pays entier.

On n'avait pas la télévision dans la mansarde, pas la place

ou pas l'argent, les deux sans doute. Et même quand on sortit de la gêne, quand l'espace et l'argent furent venus, on n'en eut jamais le goût, comme de quelque chose qu'on laisse aux autres.

À côté du machiavélique extraterrestre, une autre figure télévisuelle s'imposait, celle de l'enfant acteur. Un artiste complet qui devait savoir aussi chanter et pourquoi pas danser. Des émissions entières étaient consacrées à la recherche du futur petit prodige, fille ou garçon selon les feuilletons. On diffusait à l'antenne le portrait-robot de l'enfant à trouver, des portraits vagues et niais, des visages poupins aux traits si peu affirmés que chaque parentaille de France croyait avoir dans son giron au moins un spécimen ressemblant – le futur élu. Les présentateurs du concours disaient recevoir chaque semaine des sacs de courrier par camions entiers. C'est là que Paule prit très au sérieux son rôle de marraine.

« Gilles a une si belle voix, disait-elle, il est si souriant et tout roux avec ça, c'est original, c'est charmant. » Éliane souriait, approuvait. Le portrait-robot était dévoilé le dimanche après-midi, en direct. Dès le lundi matin, Paule appelait Éliane à son bureau de la cité de l'Air et lui indiquait l'adresse de la société de production où envoyer une photo de leur filleul et fils... On pourrait s'étonner de cette complicité survenue entre deux belles-sœurs d'abord ennemies. Mais ce serait sans compter la joie que procuraient à ma mère les compliments qu'on lui faisait sur moi. Et ce serait mésestimer le talent de Paule qui réussit à persuader Éliane qu'elle m'aimait comme un fils et m'aimerait toujours – on pouvait compter sur elle. Le mensonge était si bien enrubanné qu'Éliane allait y croire jusqu'à la fin ; moi-même j'y souscrirais un peu, le temps que mes yeux se dessillent.

« Tu devrais lui faire passer des castings », renchérissait Paule – et les castings s'enchaînèrent ainsi que les radio-crochets. J'obéissais, mais n'étais pas si ambitieux. Cette engeance de poupées et de pantins me faisait honte, le chœur vampire des adultes me terrifiait jusqu'à me couper la voix. Je n'avais nul besoin de leurs commentaires. Pas envie de savoir si j'étais trop grand ou trop en chair, pas envie de savoir si mes taches de rousseur étaient un atout de plus ou si, au contraire, elles me donnaient l'air d'un idiot qui aurait regardé le soleil à travers une passoire.

Je n'aimais pas ce monde, qui me le rendit bien : de candidatures en auditions, six mois avaient passé sans que personne ne veuille de moi ni pour jouer ni pour chanter.

Et tandis qu'Éliane commençait à douter de mes talents d'interprète, la marraine que tout le monde devant moi s'accordait à traiter d'excentrique (mot fourre-tout, je le sentais, mot écran surtout, qui empêchait les autres mots d'être proférés), ma tante Paule, donc, se lança dans de nouveaux projets : j'étais gracieux, disait-elle, je devais faire de la danse et pour cela entrer à l'école de ballet de l'Opéra de Paris.

Cette fois, c'en était trop.

Je songeais à un autre feuilleton qu'il m'était arrivé de regarder avec la fille des voisins du quatrième, une histoire mièvre autour d'un groupe de petits rats de l'Opéra, filles et garçons prépubères tous moulés dans des justaucorps embarrassants, aussi affectés que ridicules avec leurs entrechats, leurs pointes, leurs mentons levés et leurs bras en couronne. Éliane m'avait traîné quelquefois à des ballets en matinée où je bâillais d'ennui. Elle aimait la danse aussi, elle aimait trop de choses où je ne brillerais pas. (Pour nous unir, il restait Jean Racine que nous lisions vautrés sur le lit, il y avait les douze pieds de l'alexandrin que je comptais sur mes doigts, il y avait les diérèses et les liaisons où j'excellais. Parfois, nos langues fourchaient – et c'était toujours au pire moment, au paroxysme du tragique, de sorte que nous nous tordions de rire pendant de longues et délicieuses minutes.)

Si l'on s'en tenait au règlement de l'école, je pesais quatre kilos de trop, observa ma mère. Une objection que Paule balaya d'un revers de main : en un mois, avec un régime sérieux qu'elle connaissait pour l'avoir pratiqué, j'aurais le temps de perdre trois kilos ; quant au dernier kilo, il ne serait pas éliminatoire (disait-elle) et fondrait avec le dur exercice quotidien. La date du casting approchant, je pris André à part :

« Papa, je ne veux pas danser. C'est la honte comme ils s'habillent et la musique me barbe. J'aime trop mon judo. »

J'avais un père, pas forcément de ceux qui rentrent chaque soir et vous bordent au lit, pas de ceux qui vous consolent quand vous avez du chagrin – encore faut-il qu'ils voient que vous l'avez, ce chagrin –, mais j'avais un père beau gosse, très jeune, qui fascinait mes camarades et mes maîtres les trop rares fois où il venait me chercher à l'école, et ce père devait m'aimer un peu car, au dîner chez Paule qui précédait l'audition de l'Opéra, il annonça, tranquille, impérial : « Mon fils n'a pas envie d'être danseur. Il n'a pas plus envie d'être acteur ou chanteur. » Il défia du regard son épouse puis sa sœur : « Fichez-lui la paix. C'est juste un petit garçon. » Paule s'éventa avec sa serviette, Éliane se mordit la lèvre. Aucune ne protesta. Son succès lui donnant des ailes, André ajouta : « D'ailleurs, il serait temps de lui couper les cheveux. Il me l'a demandé. » Et ça, c'était faux, archifaux. Les deux femmes le savaient. Car les temps avaient changé et, avec le joyeux raffut de la mode beatnik, mon regard sur mes cheveux longs aussi avait évolué : ils faisaient de moi un enfant à la mode, mieux, un précurseur, un élève admiré et jalousé par ses camarades. Plus personne n'aurait songé à me traiter de fille.

Paule : « Alors comme ça, tu n'aimes plus tes cheveux ? Hum… »

Éliane : « La seule fois qu'on les a coupés, tu as été si malheureux. »

Paule : « Tu ne dis rien ? »

André : « Réponds, mon fils. »

Affolés, mes yeux papillonnaient de l'un à l'autre (à l'exception du livreur qui, nous tournant le dos, regardait le journal télévisé), la salive me manquait, je sentais le rouge me monter au front tandis que je cherchais l'issue magique, celle qui me permettrait d'être loyal envers mon père sans blesser personne. « Les autres à l'école se moquent de moi. » Les autres. Toujours accuser les autres. Je venais de sacrifier mes cheveux à l'autel de la solidarité masculine. Dans ce monde, tout n'était que sacrifice, sans fin.

C'est à peine si l'on jeta un œil aux *Envahisseurs*. Paule avait raté ses calamars à l'américaine et son dépit plombait l'air de la pièce – l'orage pesait sur nos têtes. Redoutant un éclat, Éliane s'attardait en long, en large et en travers sur une nouvelle qui n'intéressait personne – les employées civiles des armées auraient enfin droit au port du pantalon, à l'exception notoire du blue-jean – mais au lieu de détendre l'atmosphère son bavardage ne faisait que la crisper un peu plus. Tout à sa victoire, André enchaînait grimaces, clins d'œil et pitreries ; j'éclatais de rire, et plus nous riions, plus je voyais aux yeux furieux de Paule qu'elle nous aurait bien étranglés tous deux.

De toute façon, les jeudis soir n'allaient pas durer. Paule retrouva ses cris et ses spasmes, sa haine des Leroy comme elle les appelait, un pluriel englobant dans la vomissure non seulement le beau-père et le demi-frère détestés, mais aussi sa traîtresse de mère.

Elle disparut une nouvelle fois de nos vies et l'on ne sut jamais le fin mot de l'histoire, qui l'emporta, des humains ou des extraterrestres.

(« J'aime trop mon judo pour aller faire des pirouettes. » Je savais que ces mots plairaient à mon père et, à son sourire, je vis qu'il était soulagé d'un souci. Il n'aurait pas dû : je trouvais sur les tatamis des satisfactions érotiques que jamais ne me procurerait la très décente et rigide danse classique. Entrer sous les ors de l'Opéra ? La belle affaire. *Qu'on me laisse les sombres douches du dojo, les ceintures qui ne ferment rien, les kimonos échancrés qui découvrent une épaule nue, un nombril duveteux ! Qu'on me laisse, oui, les corps à corps peau contre peau, tous ces combats en forme d'ébats !*)

. . . .

Il y eut cette nuit – j'avais dix ans, peut-être onze – où je fus réveillé par des gémissements, des voix amuïes, des pas nerveux qui essayaient de ne pas peser sur le plancher. C'étaient les pompiers. Sur un brancard, les pompiers emmenaient ma mère. J'eus juste le temps de voir ses cheveux trempés de sueur, ses yeux révulsés, et, sous la couverture que ses côtes soulevaient, le halètement de sa poitrine. Mon père dit : « Va te recoucher. » Puis il entendit l'absurdité de son ordre et se rapprocha, s'accroupit devant moi. « Ta mère part à l'hôpital, Billy Boy, elle est malade mais elle reviendra bientôt. Rendors-toi, mon fils. »

Le lendemain, j'étais à guetter le retour d'Éliane (ses pas comme des claquettes dans la cage d'escalier) quand la clef joua dans la serrure et mon père apparut. J'eus peur, plus encore que la nuit précédente : ce père qui ne rentrait jamais avant minuit, ce père que je ne voyais jamais le soir, que faisait-il chez nous alors qu'un soleil rosissant perçait encore par la lucarne de la mansarde, rentré à la même heure bienheureuse que tous les autres pères ?

Je l'observais : sa mine était grise, la mèche blonde manquait terriblement, et, bientôt chauve, son front haut était un océan de soucis. « Elle rentre quand, maman ? » Il me prit dans ses bras et dit : « Je ne sais pas, Billy Boy, je sais vraiment pas. On ira la voir samedi à la clinique. »

Ce mal de ventre, j'ignore quelle intuition terrible me disait qu'il n'était pas un mal d'intestins comme le prétendait André. Je crois que j'ai tout de suite su, à des paroles échappées entre lui et les pompiers, pourquoi le sang de ma mère pourrissait dans son corps, pourquoi il en infectait chaque parcelle : elle avait rendu visite à la vieille aux chats.

Le samedi, on est allés visiter maman à la clinique comme promis. Elle était si faible. Elle m'attira pourtant contre elle et me serra si fort dans ses bras que je compris, sans qu'elle eût besoin de le chuchoter, que j'étais et serais son unique enfant à jamais. Son ange.

... *Des anges.* N'est-ce pas ce qu'elles délivraient, les matrones sans voix ni visage qui opéraient dans les arrière-cours sur des toiles cirées crasseuses, des fées chtoniennes en tabliers noirs et jupons pisseux, des marraines armées non pas de baguettes mais d'aiguilles à tricoter et qu'on nommait avec effroi, avec une pointe d'amer défi, aussi, pour celles qui avaient été et seraient peut-être encore leurs clientes, *les faiseuses d'anges* ?

Je me rappelle la mine blême d'Albertine lorsqu'elle chuchota ces mots à l'oreille de sa sœur Marthe, tout autant bouleversée. De service tout le week-end, André m'avait déposé à la maison noire. Il était si perdu qu'Albertine le prit dans ses bras et murmura : « Allez-y, pleurez un bon coup, mais pas devant le petit. »

Faiseuse d'anges, l'expression est étrange, étrangement douce, étrangement jolie. À peine l'avais-je surprise sur les lèvres adultes, sans en deviner le sens aussitôt, que je compris pourtant qu'une ironie terrible se cachait là, de ces mauvaises plaisanteries qui envoient les jeunes mères à l'hôpital quand elles ne les tuent pas.

QUOI MAINTENANT ?

La personne difficile

Un jour, des deux familles, il n'est plus resté que nous trois, la femme astrakan, Myriam et moi. Les trois inféconds. Ceux qui vivraient la fin de l'histoire sans laisser de témoins.

Paule n'eut jamais d'enfant. Ils essayèrent, le livreur et elle. Le septième époux ne brillait pas plus que les autres et, dans l'urgence du calendrier biologique, Paule se mit à hanter les hôpitaux parisiens où on lui apprit ce qu'elle savait déjà, sans doute. Il lui fallut quand même une dizaine d'avis pour accepter le diagnostic de sa stérilité. Le livreur de vin la trompa avec une jeune femme de son âge qui, aussitôt, lui donna un enfant – un garçon, comme il en rêvait – et il resta bigame, le chef de deux foyers pendant dix ans sans qu'aucun des deux partis ne le découvre.

Paule est morte la veille de mes cinquante-cinq ans. Elle m'a déshérité au profit d'un refuge pour chiens. Des chiens abandonnés trop vieux pour être adoptés.

Passé le choc de la métaphore, j'ai trouvé que c'était juste, normal entre nous.

Elle avait voulu ma mort, comment aurait-elle pu me léguer ce qui fut l'obsession de toute une vie, ce misérable argent qui lui restait ?

C'était pour l'argent, sa haine du jeune frère. C'est parce que lui seul hériterait de la fortune du boucher. Ses maris et amants successifs avaient beau lui remontrer qu'elle s'égarait dans un sentiment sans issue, le boucher n'étant pas son père, le boucher ne lui devant rien, elle rétorquait : Rien à fiche. J'aurai ma part du pactole. Je l'aurai.

Et c'est pour l'argent, encore, que sa fureur se reporta sur moi à la mort d'André. Parce que j'étais l'héritier de mon père, qu'elle le croyait devenu richissime (André avait fait du chemin dans son domaine, le petit dépanneur de monsieur Alexandre était devenu patron à son tour, un patron fantasque et foutraque, sans notion de comptabilité ni de gestion ni de rien), elle se mit à me haïr aussi, perdant la mémoire de mon nom, m'appelant André et me couvrant d'injures comme elle eût voulu le faire avec lui. Mais elle avait trop peur de lui pour l'insulter, une peur physique même : lui seul pouvait interrompre une crise de sa sœur siphonnée, lui seul pouvait la faire taire et se calmer lorsque, se dressant devant elle, il lui disait : « Maintenant arrête ton cirque, cesse de gueuler comme une possédée. » Moi, dans mon refus de toute violence, je devais lui apparaître comme une lavette, un sous-homme, tout juste bon à recevoir ses quolibets et ses crachats.

Un jour, pourtant, alors qu'elle pleurait ses larmes de crocodile pour me soutirer quelques nouveaux milliers de francs que je n'avais pas, je lui dis que sa jalousie l'aveuglait du tout au tout et que son ressentiment n'avait aucun objet : mes grands-parents étaient morts ruinés, vivant du minimum vieillesse, et mon père ne m'avait laissé que des dettes. Une jolie montagne de dettes. « Tu n'as plus rien à regretter », conclus-je.

Avec l'âge, les passions tristes finissent par rendre bête ou par cadenasser l'esprit si bien que c'en revient au même. Dans son besoin de vengeance, cette femme n'a même pas réalisé qu'elle léguait ses biens à une entreprise d'abattage. Combien de chiens piqués grâce à son financement ? Quelques milliers ? Des dizaines de milliers ? Détruire aura été son grand œuvre.

Je ne sais quelle part la jalousie avait prise dans sa tentative de faire avorter Éliane, dans ce « soutien » dont elle osa se vanter plus tard, prétendant avoir secrètement souhaité que la jeune femme seule résistât à ses offres et décidât de me garder. Que le frère cadet, plus jeune d'une génération, se reproduise avant elle, n'était-ce pas le pire camouflet, l'ineffaçable avanie ? Aujourd'hui, je peux sans effort imaginer ce qu'elle voyait en moi, à l'instant même où j'apparaissais : un reproche vivant.

*

J'étais adolescent. Je ne l'avais pas vue depuis six ans, six années qu'elle avait passées une nouvelle fois fâchée contre André. Elle se faisait désormais appeler Paula. Elle était venue me chercher à la gare de Cergy, dans cette grande banlieue où son instabilité l'avait fait atterrir après qu'elle eut successivement habité le quartier de la Bastille, Malakoff, Brou-en-Beauce et d'autres lieux que je n'ai pas connus, une errance qu'André partageait avec elle et qu'il m'a léguée – que je préfère appeler *wanderlust*, ou déréliction, comme si la préciosité des mots, leur sensuelle sonorité rendaient la réalité moins pénible.

Éparpillée, la maigre famille s'atomisait. Peut-être parce que je grandissais très vite, une assistante sociale avait fini par prendre pitié de nous dans notre chambrette et nous sommes partis vers le nouveau Bagneux, dans l'une de ces tours édifiées sur l'expropriation des vieux maraîchers, leurs terrains comme leurs cabanes. Seul le pavillon du docteur Meyer était épargné, sans doute parce qu'on ne peut se passer d'un médecin de quartier quand déboulent trois mille âmes sur des étendues naguère inhabitées.

Maxime était mort et Juliette dépérissait, seule dans la station balnéaire du Cotentin où ces deux Parisiens invétérés – leurs corps comme chevillés à celui de la ville – avaient commis l'erreur de s'établir après que la boucherie eut fait faillite. Ils avaient pris en gérance un hôtel-restaurant où Juliette usa ses dernières forces car il en allait de la retraite comme des vacances – une oisiveté bonne pour les autres, mais surtout une peur panique de l'ennui.

Un ascenseur jusqu'au quinzième étage, une grande cuisine, une salle de bains, un vrai W.-C, et pour moi une chambre spacieuse accueillant un lit, un bureau et un début de bibliothèque : la tour de Bagneux aurait dû devenir la maison du bonheur – elle fut celle du chaos. Éliane et André se séparèrent. Mon père loua une garçonnière dans le haut de Montmartre ; ma mère et son amant élurent une banlieue bucolique, verdoyante et sans vie, que j'allais fuir sans tarder.

Seuls ceux de la maison noire n'avaient pas bougé et ne bougeraient qu'à leur mort, comme annoncé.

À peine étions-nous dans la voiture que Paule (*pardon, Paula*) annonça avoir de grandes choses à me révéler. *Il faut que tu saches.* Je crus qu'elle allait me parler de ce que je savais déjà : comment elle avait découvert la double vie du livreur et l'existence d'un fils caché ; et comment, à la surprise générale, au lieu de demander le divorce, elle l'avait supplié de rester, s'accommodant de la trahison de celui qui serait le dernier époux, préférant le mensonge à la solitude.

Fébrile, elle ne put même pas attendre que nous soyons arrivés chez eux. « Juliette est juive, dit-elle. Ta grand-mère, oui. Ça veut dire que je suis juive. »

Je songeai aussitôt à Simon, Simon Sarfati dont j'étais amoureux fou, qui ne m'aimait pas – ou disons, pas de la façon que j'aurais souhaitée.

« C'est tout ce que ça te fait ? Tu m'écoutes au moins ? Éliane avait raison de me prévenir au téléphone : tu n'as pas changé, toujours la tête ailleurs, enfermé dans ton monde, indifférent au reste. »

Mieux valait ne pas relever – je gardais en mémoire ses psychodrames à répétition, ces pièges qu'elle tendait pour obtenir la bagarre. Elle poursuivit. Selon la loi mosaïque, André, son frère, mon père (dans cet ordre-là, toujours) était juif également. « Et toi aussi ! » extrapola-t-elle, ponctuant sa démonstration d'un grand rire de gorge inquiétant. Ma réaction arriva enfin, qui la déçut : selon la même loi mosaïque, je ne pouvais être juif puisque né d'une mère goy.

« On voit que tu n'as pas connu la guerre. Les boches

n'étaient pas si regardants, ça ne finassait pas. Tout bachelier que tu es, tu ne sais rien, mon pauvre garçon. »

Une autre pensée, souterraine, creusait son chemin. Si je racontais à Simon ce roman inventé par ma tante folle, s'il y croyait, s'il y voyait un lien sacré entre nous, peut-être notre judéité commune l'attacherait-elle à moi ? Je souris à Paula. « Raconte-m'en plus, s'il te plaît. Je veux apprendre notre histoire. »

....

Ceci alors, quelques jours plus tard : on est dans la chambre de Simon Sarfati. Il roule une provision de joints pour le spectacle fleuve où nous nous rendons, une épopée censée durer sept ou huit heures. Je fais ma voix la plus blanche possible et lui résume les révélations de Paula. J'attends une avalanche de questions. C'est à peine s'il lève ses beaux yeux verts de la pochette de disque, les doigts experts émiettant le shit à la chaleur du briquet puis le mêlant au tabac blond avant de passer à cette étape troublante, la langue douce qui lèche les trois feuilles de papier de riz, les encolle, les lèche une dernière fois pour sceller le cône – trop occupé, donc, trop concentré pour m'écouter vraiment. On prend le métro, trois quarts d'heure au moins, puis le bus qui mène à la Cartoucherie de Vincennes et c'est là, au fond du bus, qu'il pose une main sur mon genou et plante ses yeux émeraude dans les miens : « Alors comme ça, tu pourras venir à la maison pour Hanouka, Kippour et tout le bordel ? Cool. On se fera moins chier à deux. »

Rien n'est gagné.

. . . .

D'abord, je n'ai pas cru sincèrement à ce qui me paraissait être la construction d'un esprit fragile, prompt à s'enflammer et à s'égarer. Puis la mémoire m'est revenue, lacunaire, elliptique, de quelques scènes éparses qui formaient cependant une suite et tissaient leur part de la mythologie familiale.

Ainsi cette colère terrible que Juliette avait piquée lorsque, sans prévenir les familles, Éliane m'avait fait circoncire à l'âge de cinq ans. Bien sûr, l'opération ne s'appelait pas officiellement circoncision et c'était l'idée du jeune docteur formé en Amérique, Murat, qui avait remplacé ce brave vieux Meyer car Meyer n'était plus dans le coup, Meyer se méfiait des antibiotiques, Meyer ne croyait pas aux régimes hypocaloriques et avait refusé de me mettre à la diète si petit, Meyer dont l'hygiène, enfin, laissait à désirer – et c'était pour raisons hygiéniques, justement, qu'on m'ôta le prépuce.

Ainsi cet épisode non moins marquant (bien que l'intervention chirurgicale demeure la première grande souffrance de ma vie, l'épreuve de la douleur absolue, physique – je pissais du feu – et morale – des jours et des nuits abandonné dans une clinique vétuste avec vue sur les abattoirs de Vaugirard), un épisode de télévision qui aurait pu rester banal, ou disons extérieur, étranger : c'était un soir d'hiver, pas un client à l'hôtel ni au restaurant, nous étions regroupés, Juliette, Maxime et moi, autour d'un radiateur électrique dans le salon glacial des Grandes Marées et la télé diffusait un film appelé *Kapo*, je crois, qui avait pour cadre un camp d'extermination nazi. Juliette était en larmes. Elle avait beau tamponner ses paupières dans un mouchoir, l'eau inondait ses joues. C'était plus fort qu'elle. Jamais avant ce soir-là je n'avais vu ma grand-mère pleurer – cette maîtresse femme qu'on disait dure à la peine, qu'on croyait inébranlable sinon invincible –, et jamais je ne la verrais pleurer une autre fois. À un moment, les larmes se sont taries et elle n'a plus bougé, plus frémi : elle se tenait droite dans son fauteuil, bras calés sur les accoudoirs, marmoréenne et mutique, le visage lissé par la tension et comme verrouillé à triple tour : sur l'écran noir et blanc, des femmes et des enfants faméliques marchaient vers l'établissement de douches où ils seraient gazés avant que leurs corps déjà squelettiques ne soient traînés au four crématoire. Je revois mon grand-père adoré, toujours pataud avec les sentiments et maladroit avec sa femme, le doux Maxime se mettant à implorer : « Juju, si ça te cause trop de chagrin, on éteint. Je te fais un grog, on monte au plume et puis c'est marre. » Juliette de répondre alors entre ses dents, les mots déchirant le silence comme si elle avait mâché du verre : « Il faut que le môme voie ça. Lui qui aime tant les histoires, il faut qu'il voie et se souvienne. »

Avec les années, Paula insista. Elle porta quelque temps une étoile de David au cou puis elle collectionna les menorahs, ces chandeliers à sept branches que j'aimais tant, enfant, quand nous allions dîner chez Mettoudi ou chez Guedj, les copains de mon père, des menorahs de toutes tailles et dans tous les métaux possibles. (Voyant combien je les appréciais, elle avait promis un soir de me les léguer, mais les beaux chandeliers rejoignirent le refuge pour chiens où ils illuminèrent sans doute les exécutions.) À son nom d'épouse, enfin, elle avait fait ajouter celui de Blum, le patronyme de Juliette. Nom, prénom : faute de changer d'histoire, elle avait changé de papiers.

*

Éliane niait m'avoir fait circoncire. Cela s'appelait…, elle cherchait le terme médical, en vain, s'énervait contre sa mémoire et se mordait la lèvre du bas comme chaque fois qu'elle se croyait accusée – en tout cas ça ne s'appelait pas une circoncision. Elle baissa la voix : « Ce que je ne savais pas, que Murat s'était bien gardé de me dire, c'est que tu aurais si mal. J'en tremblais de peur chaque fois que je changeais ton pansement. Ta grand-mère Juliette m'a engueulée pour ça, pas pour autre chose. Heureusement, ton père m'a défendue. » Long soupir. « Il me défendait toujours. Si tu veux en savoir plus sur cette histoire que raconte Paule, c'est à lui, ton père, qu'il faut t'adresser, non ? Moi, je ne sais rien de rien. »

Parce qu'elle s'était montrée trop cruelle envers leur mère à la mort de Maxime, André avait renié sa sœur (sa demie, de sœur) et m'avait fait promettre de ne jamais la revoir – un serment que j'avais trahi, ce jour-là, à Cergy. Aujourd'hui je réalise combien mon père avait raison, la paix que j'aurais gagnée à lui obéir au lieu de mettre en doute son jugement. Mais je tenais de ma mère une certaine indulgence pour les faiblesses humaines, une propension à excuser l'inexcusable ou disons : à le mettre entre parenthèses.

On se voyait peu, mon père et moi. Un dîner de loin en loin. Il me gardait pour la nuit dans sa garçonnière, me prêtait son lit et se réservait la banquette. Lui ne dormait quasiment plus. Si j'ouvrais les yeux, je voyais sa cigarette brasiller dans le noir.

J'ai caché ma rencontre avec sa sœur, évoqué une intuition qui me hantait, le souvenir aussi de certains propos ambigus de Juliette, de sa colère autour de mon opération.

« Que veux-tu savoir ? » Il me regardait d'un air méfiant, un air que je ne lui avais jamais vu. « Et à quoi ça t'avancerait de le savoir ? »

Moi : « Je ne sais pas. À rien, sans doute. Mais papa, tout de même... J'ai réalisé que la plupart de tes amis étaient juifs. »

Lui : « Ah oui ? Je n'avais pas tenu le compte. » Il rit. « Ça s'est trouvé comme ça. Les circonstances, le hasard. »

Moi . « Et sur tes neuf employés, sept le sont. Le hasard, là encore ? »

Lui : « Tu n'y es pas, Billy Boy. Ce qui compte, mon fils, c'est comment on a été élevé, dans quelle histoire on a grandi. C'est le nom qu'on porte, aussi. Ne va pas tout compliquer. »

D'une main, il me broya la nuque et m'attira sur sa poitrine ; de l'autre, il m'envoya une bourrade dans les côtes puis – apothéose de la prise, son estocade – il m'embrassa sur le front.

. . . .

Plus rien à regretter ?

On ne parle pas ainsi à quelqu'un que la jalousie ronge et constitue en même temps : elle ne bouffait que ça, du matin au soir, ressentiment, rancœur et l'envie toute crue. C'était son oxygène, sa came et son moteur. La nullipare eût-elle seulement été heureuse de devenir mère ? Eût-elle seulement été capable d'aimer son enfant ? N'était-ce pas plutôt qu'avoir un enfant était un dû comme tous les autres avoirs de son existence, les maris, les amants mariés et la peau des bêtes sauvages ? La maternité faisait partie des biens terrestres auxquels elle avait droit et s'en voir privée n'était qu'une injustice de plus parmi tous ces attributs que la vie lui avait refusés.

Éliane morte, André ne lui survécut que six mois. Elle avait cinquante ans, lui quarante-sept. « Ta mère était la seule femme de ma vie. » Il pleurait au téléphone ce matin où je lui annonçai la disparition de son unique amour. J'aurais tant voulu le serrer contre moi. Il était loin de Paris, hospitalisé lui-même, et ne pourrait venir aux obsèques. Il répétait : « Aucune autre n'a compté, Billy Boy. C'était elle et ça restera elle jusqu'au bout. Je t'aime, mon fils, sois brave. »

Ce sont les derniers mots que mon père m'adressa. Je n'entendrais plus jamais le son de sa voix.

Lorsqu'il mourut à son tour, j'étais en miettes et comme anesthésié de chagrin. Paula tenta alors d'accaparer ce qui pouvait encore l'être à travers moi. « Je suis là, moi, je suis ta marraine. Tes parents partis, mon tour est venu de m'occuper de toi. » Je n'en demandais pas tant – et j'ai laissé faire. Il me fallut une bonne année pour comprendre que s'occuper de moi signifiait exploiter ma douleur et me soumettre par une série de chantages.

Elle attaqua par les sentiments : elle voulait *des souvenirs,* tel objet ayant appartenu à ma mère – un châle ancien en soie sauvage, une table basse de bateau, un collier de pacotille griffé Dior, puis le canapé Chesterfield, puis les fauteuils club –, elle avait besoin que je la dépanne pour une semaine ou deux, et je signais des chèques.

Peu avant l'agonie, elle était allée voir Éliane chez elle, une visite chaleureuse au dire de ma mère – quand l'autre était juste en repérages, inventoriant la marchandise qui lui plaisait et estimant l'appartement. Elle était mieux renseignée qu'un huissier, mieux que moi-même, peut-être.

Mes yeux se sont rouverts d'un coup, par l'effet de choc d'une simple phrase : « Puisque tu ne te marieras pas et qu'elle ne te sert à rien, tu n'as qu'à me donner la bague de la comtesse russe. »

J'ai bondi sur mon siège. « Tu veux rire ? Il n'en est pas question. »

La bague marguerite fut le premier épisode d'une longue série de refus. À chaque nouveau refus, les représailles redoublaient de férocité.

Éliane pensait que pour être méchant, il faut avoir beaucoup souffert. J'ai eu l'occasion d'en parler avec le médecin psychiatre qui suivit Paula à Montpellier. Devenue veuve (à quoi bon épouser un gaillard de dix ans plus jeune si c'est pour finir seule ?), elle s'était réfugiée dans une résidence pour vieux des environs de Sète – une résidence vaguement luxueuse, mieux sécurisée qu'un bunker, où elle habitait un bungalow grand comme un mouchoir de poche. C'est là qu'elle s'était barricadée, un soir, hurlant derrière ses volets tirés qu'on était en train de la tuer. Elle prétendait être armée et trente gendarmes furent mobilisés. C'est leur capitaine qui m'alerta au téléphone et je crus d'abord à une farce : la savoir enfermée avec les fous n'avait rien d'étonnant, mais d'apprendre que j'étais son numéro d'urgence, oui, me laissa sans voix. J'ai fait les sept cents kilomètres dans la nuit. (Qui d'autre eût-elle désigné sinon moi, le seul survivant de sa famille et le seul vivant tout court à m'inquiéter d'elle encore, malgré tout ? Elle savait ça. Elle savait me faire accourir.)

Il n'y avait plus rien de la femme aux fourrures dans la forcenée que je retrouvai internée à La Colombière, à Montpellier. Une petite vieille dont la tête me parut énorme au-dessus de la chemise de l'Assistance publique, riant de façon convulsive ou plutôt : traversée de rires, comme on frissonne, comme on sursaute. Elle ne savait plus donner le change. Son esprit malade béait à ciel ouvert et les démons y avaient libre cours, qui dansaient sur les lèvres de la plaie. Elle m'appela André, bien sûr, et versa des bordées d'injures mêlées de reproches auxquels je n'entendais rien. Soudain, elle se terra sous le drap, ses gros yeux voilés de cataracte roulant en tous sens, et me parla de l'officier S.S. qui la poursuivait avec une matraque, qui la frappait à la nuque. Il se cachait derrière les portes, et vlan ! Prends ça dans les cervicales. Je dus ouvrir la porte du cabinet de toilette de la chambre et vérifier qu'aucun soldat allemand n'y préparait un attentat. Une heure. Une heure entière elle me parla de lui, de lui et de ses camarades nazis qui partout, depuis toujours, la poursuivaient pour lui briser la nuque.

Je n'éprouvais même pas de peine pour elle, qui avait épuisé ma veine compassionnelle. Le jeune psychiatre ne paraissait guère plus touché par sa patiente. Il souhaitait en savoir plus sur son histoire et je tentai de lui raconter ce que j'en savais. C'était un homme d'une conversation très agréable, doux et tourmenté. Sans m'en apercevoir, je le pressais de questions : que pensait-il des hallucinations et de l'officier S.S. ? Dans quel rayon de la folie rangeait-il Paula ? La psychose paranoïaque ? L'hystérie aggravée ? La démence sénile ?

Il réfléchissait. J'ai cru qu'il allait me répondre *Un peu de tout ça.*

« Dans notre milieu, on appelle ça une personnalité difficile. C'est la seule façon de nommer ces cas. La vieillesse n'arrange pas les choses, bien sûr. »

En écho aux paroles d'Éliane, je posai deux dernières questions : était-elle simplement méchante ? Était-elle aussi malheureuse ? Il sourit tristement. « Il est trop tard pour remuer le passé avec elle. C'est une vieille femme seule qui perd la tête. On essaiera qu'elle ne le soit pas trop, malheureuse. »

Messe à la mauvaise herbe

C'était bien Maxime, ça, l'une de ses géniales intuitions. Alors que je n'étais qu'un enfant, que mes parents avaient encore des années devant eux pour me donner des frères et sœurs (*donner* étant bien sûr un terme d'adulte, une vanité de parent car les frères et sœurs ne sont pas forcément des cadeaux, si j'ai bien écouté et regardé autour de moi), Maxime avait non seulement deviné que je resterais son seul petit-fils mais aussi que je ne me reproduirais pas, mon heure venue, que je ne le continuerais pas : « Tu es le dernier des Mohicans », disait-il souvent lors de nos promenades songeuses sur les chemins côtiers du Cotentin, et je ne savais comment interpréter la douce intonation de sa voix, cette douceur du désastre qui hésite entre chagrin, fierté et désespoir. Ce que je comprenais pourtant, à la façon dont il accrochait sa main à mon épaule, une main jamais pesante, c'est que, loin de m'en vouloir d'être son point final, il ne m'en aimait que plus exclusivement.

Que signifie au juste cette obstination de deux lignées associées pour courir à leur perte ? C'est comme si un ordre supérieur du vivant avait décrété : il faut que ça cesse. Et les deux familles s'étaient trouvées pour arriver à leurs fins.

Je n'ai pas trop de doute : ces deux-là qui ne m'avaient pas désiré d'abord m'ont aimé ensuite de la façon la plus entière, exigeante et absolue qui soit dans le peu de temps que la vie leur accorda. Oui, je crois que peu d'enfants ont été aimés autant que moi – ni aussi seuls, livrés à eux-mêmes que moi. « Moins on a besoin des autres... », disait mon père, et ma mère acquiesçait.

À six ans – dès que je sus lire, en fait –, on m'expliqua comment prendre le métro et le bus. Facile. À sept ans, j'apprenais à ouvrir une boîte de haricots verts et à cuire sur le réchaud du coin-cuisine le bifteck de jeudi midi. Pas plus compliqué. À huit ans, j'achetais moi-même mon bifteck chez le boucher qui avait succédé à mes grands-parents avenue d'Orléans (le nom de l'avenue n'avait-il pas déjà changé, lui aussi, pour devenir avenue du Général-Leclerc ?), ou disons (car je n'aimais pas du tout le repreneur au tablier répugnant, aux ongles encrassés de viande), disons qu'avec l'argent du déjeuner je m'offrais un Coca en terrasse du Zeyer ou bien j'allais au cinéma. En cela, je ressemblais sans le savoir à mon père, ce gamin du pavé qui passait ses journées d'école à errer dans les fortifs en friche et sur les confins de la Zone. Seul. Sans peur. Sachant se débrouiller. M'apprenant à me débrouiller. N'est-ce pas lui, André, qui m'enseigna comment repasser une chemise et faire un ourlet au bas de mes pantalons ? « Moins tu auras besoin des autres, mieux tu te porteras », disait mon père, pourtant avare de grandes phrases et de leçons édifiantes.

J'aurais eu besoin de lui plus longtemps.

Comme d'elle, avec son air d'amour éternel, avec ses longs cils noirs fermés sur l'énigme, avec sa petite robe noire pas si austère qui marquait bien la taille, l'arrondi des hanches et le rebond du cul – comme elle qui me manquera jusqu'à la fin, nos fous rires, nos conversations tard dans la nuit, nos week-ends surprise à la mer – puisque même les disputes au téléphone arrivent à me manquer.

J'ai commencé ce livre le jour anniversaire de mes cinquante-cinq ans. À un âge avancé, était-il nécessaire d'aller dans ces régions de nos êtres où ça fait mal, où ça souffre encore comme à cinq ans ? Comme la plupart d'entre nous, il m'arrive de me dire qu'on n'est rien. On peut toujours écrire des livres, tourner des films, enregistrer des musiques, on ne laisse rien et personne ne se remémore le jour ni le visage de notre mort. L'art ? La littérature ? Vaste entreprise d'illusionnisme et foire aux vanités. Il s'agit d'occuper le temps, le nôtre et celui des oisifs. On ne fait jamais qu'amuser la galerie.

Notre durée n'est rien et celle de ceux qui nous succéderont ne vaudra pas plus. Autre chose, un tout autre choc est d'apprendre que le soleil mourra dans quatre ou cinq milliards d'années. La pauvre péripétie que notre disparition, alors, et la misérable pensée que celle qui accouche d'un calcul aussi aberrant : mesurer le temps qui nous sépare de la destruction de tout ce qui fut notre expérience de vivre, le jour, la nuit, la terre nourricière, l'air où nous volons et les mers que nous traversons – voguant, intrépides et stupides homuncules, voguant effrontément vers l'abîme.

… Hier, on portait Myriam en terre.

À la fin, elle ne connaissait plus qu'un vocable, un nom, celui d'Éliane, le dernier qu'elle fût capable de prononcer dans ces quatre années où elle agonisa sur un lit médicalisé. Réduite à un tronc douloureux, grabataire, aphasique, ses yeux bleu marine creusés d'angoisse, elle me dévisageait avec effroi et scandait ce nom d'Éliane comme si, impuissant à la sauver, j'avais pu faire revenir auprès d'elle sa sœur adorée qui, elle, saurait.

Faire ça, au moins.

À la fin, il n'y eut plus que cet amour entre deux sœurs, amour pas prévu au départ, et les yeux de Myriam cherchaient dans tous les visages connus ou inconnus le velours noir des yeux de son aînée.

C'était dans le 18e arrondissement de Paris, non loin de l'hôpital Lariboisière où son corps reposait en chambre mortuaire. J'avais prévenu que nous serions peu nombreux – quel euphémisme – et la cérémonie fut arrangée dans une chapelle adossée à l'église principale. Elle n'était pas si grande, cette chapelle annexe, mais elle me parut immense, cruellement immense pour nous deux. De quoi aurions-nous l'air, elle dans son cercueil verni, moi sur une méchante chaise face à un prie-Dieu ? Pour l'instant, la nef était vide. Pris dans une manifestation, le corbillard aurait du retard, me dit la diaconesse qui venait d'avoir les pompes funèbres en ligne. Je suis sorti au soleil, le dernier soleil d'un été indien. De jeunes amoureux s'enlaçaient sur les bancs du square voisin. Ils s'embrassaient puis, rassurés sans doute, offraient aux rayons tièdes leurs deux visages unis tempe contre tempe.

Vêtu d'une combinaison blanche et d'un gros masque lui prenant tout le visage, un employé de mairie pulvérisait une brume jaune sur les pavés du parvis. Plus exactement, il visait de sa lance les jolis brins d'herbe entre les pavés. Je me suis approché et j'ai lu l'étiquette de cette bouteille qu'il portait sur le flanc, accrochée à un harnais. C'était la marque d'un désherbant célèbre – un poison foudroyant que les jardiniers du monde entier déversent par milliers de citernes dans la terre, une goutte suffisant à fusiller un arbuste. Dans un recoin ombragé, les livreurs de fleurs avaient déposé à même le pavé la couronne de fleurs blanches avec son bandeau blanc et or, « À ma tante chérie », ainsi que trois bouquets dont j'ignorais l'origine, sans doute destinés à d'autres obsèques. Et je regardais l'homme au pistolet avancer, un pas après l'autre, jusqu'à ce coin d'ombre, jusqu'à ces fleurs. Un premier jet jaune fluo atteignit les roses blanches. Je retins son bras. « Vous savez ce que vous pulvérisez, là ? » Il me regarda, ahuri. J'ai cru qu'il n'avait pas entendu. Je répétai ma question et il opina. « Ouais, c'est du désherbant total. Anti-mousses, anti-ronces, fongicide… Après ça, il y a plus que le napalm. » Et il rit.

Je lui montrai les roses qu'il avait aspergées. Il ouvrit la bouche – eurêka : qu'un désherbant pût détruire des roses, ça ne l'avait pas effleuré une seconde – puis il haussa les épaules, l'air de dire que la destinataire n'en saurait rien. Il éloigna sa lance, grommela : « Bon courage », et je répondis merci.

C'est alors qu'apparut sur le parking attenant à l'église une procession de deux voitures et trois minicars. Aux gueules cassées qui se montrèrent par les vitres, je compris : c'étaient les représentants des trois foyers successifs où Myriam avait vécu depuis la mort d'Éliane. Des représentants très en forme et en verve, qu'on avait endimanchés pour l'occasion. Les hommes portaient des costumes trop étroits ou trop larges, en tergal ou polyester, qui avaient en commun d'être trop courts aux chevilles et aux bras comme si on avait cessé de leur acheter des habits à l'âge de douze ans. Les femmes n'étaient pas mieux loties dans leurs robes en synthétique étriquées ou flottantes. Une seule créature se distinguait du groupe : d'abord, elle était en fauteuil roulant et descendit du minicar par la plate-forme automatique comme s'il s'était agi de quatre esclaves portant son trône sur leurs épaules ; ensuite, elle avait enfilé un jogging rose sale et des tennis crottées de boue ; enfin, son élocution était parfaite lorsque, dans un français non moins parfait, elle invectiva les passants : « Dites-moi, braves gens, pourquoi mourons-nous ? Pourquoi est-ce que vous allez mourir ? Et pourquoi est-ce toujours à moi d'enterrer les autres ? » Depuis le boulevard, quelques badauds s'attroupaient : on regardait descendre des cars les phénomènes, les éclopés, les innocents, les autistes, les ravis, les neuneus, les simplets, les gogols, les attardés, les arriérés, les demeurés – les tarés, quoi. Inquiet, on écoutait les imprécations de la femme en fauteuil et l'on cherchait en vain un signe de débilité chez elle.

Les éducateurs et la diaconesse mirent tout ce petit monde en rang par deux. On forma tant bien que mal un cortège et l'on s'ébranla jusqu'à l'autel où nous attendait un jeune curé africain manifestement surpris.

Fraîche et humide, la chapelle obscure fait penser à une grotte primitive où les étroits vitraux jettent des feux crépusculaires. Soudain, j'hésite à croire ce que je vois. Une nuée de papillons jaunes éclôt en quelques secondes, des papillons surgis de la corbeille blanche qui volettent telles des flammèches et bientôt tout le monde se lève et court en tous sens à la chasse aux papillons, tous ceux que la diaconesse avait réussi à asseoir et à calmer, voici qu'ils crient, qu'ils dansent, qu'ils exultent et claquent dans leurs mains sous le regard compréhensif du jeune prêtre – une transe mineure n'est pas pour l'effrayer.

Voici que les funérailles ont laissé place à une fête.

Les éducateurs sont dépassés et la diaconesse crie dans le micro avec assez d'autorité pour que chacun se fige et l'écoute. Elle rappelle aux volontaires leurs engagements : Babacar doit lire deux versets, Amédée en lira deux autres, Leïla doit chanter avec Jean-Patrick, puis chacun sera invité à dire quelques mots de Myriam. D'abord, Dylan le petit triso doit allumer les cierges de part et d'autre du cercueil. Le premier cierge allumé, il va passer au second mais, au lieu de contourner le cercueil comme on le lui a montré, il se couche dessus et tend le bras pour atteindre la mèche : la flamme du premier cierge lèche sa veste en polyester, la manche prend feu, j'ai juste le temps de l'attraper par le bras et de lui arracher sa veste qui se transforme en torche sur le sol froid.

On dirait un suaire qui convulse et se tord de douleur. Le diable est dans les murs.

Le prêtre et la diaconesse ont hurlé de peur – et les rires sont repartis de plus belle, chapelets de rires qui enflent à l'unisson, qui se répercutent contre les vitraux et reviennent en écho à nos oreilles telles des éclaboussures de soleil.

Elle est là, la mauvaise herbe, débarquée des minicars. Des idiots des deux sexes, de toutes les tailles et de toutes les couleurs. Des idiots qui, faute du paradis promis, ont reçu le don singulier de nous dire la vie, cette vieille histoire saturée de bruit et de fureur, une fable vide de sens qu'enluminent, ici ou là, de facétieux papillons jaunes conçus de la rencontre entre cent roses blanches et cent gouttes de poison.

Le calme revenu, il fut temps pour chacun d'évoquer la morte. Certains parlèrent de Myriam, d'autres parlèrent à Myriam. Et leurs adresses étaient souvent les mêmes, combien elle allait leur manquer, combien ils l'aimaient et l'aimeraient toujours ; plus secrets, plus pudiques, ceux qui avaient choisi le commentaire louèrent sa gentillesse, son rire, sa gourmandise aussi. Aurais-je autant à en dire ?

Mes souvenirs étaient de terreur, lorsqu'elle m'infusait sa peur du bruit et particulièrement celle des explosions humaines – pétards de 14-Juillet ou de Nouvel An, feux d'artifice déchirant le ciel – qui la faisaient crier et fuir en courant droit devant elle : pour la rattraper je devais fendre la foule, mais je n'étais alors qu'un enfant et ne pouvais lutter contre la masse inerte, ces murs d'estomacs et de poitrails qui m'ignoraient, qui m'écrasaient comme si je n'étais qu'un moustique sous la semelle, de sorte que sa peur du bruit se mua chez moi en peur de la foule, des stades et des fêtes publiques.

Qu'aurais-je pu en livrer sinon cette autre image indélébile d'une poupée aussi effrayante qu'elle était belle avec ses anglaises blondes et ses traits joufflus d'angelot qui, sans prévenir, cessait de parler et détournait les yeux comme si soutenir un regard lui était une intolérable souffrance, une torture morale tant que physique..., laquelle poupée pouvait se tenir des heures entières assise à fixer le lino et à se balancer d'avant en arrière, d'arrière en avant, semblable dans sa manie à ces illuminés qui psalmodient d'incessantes litanies, sauf que Myriam, elle, ne prononçait pas un mot, pas un nom (quel dieu digne de foi eût-elle prié, au juste, quel mauvais plaisantin ?), de sa bouche forclose ne sortait aucun son – juste la salive qui crevait en bulles involontaires sur ses lèvres entrouvertes puis coulait sur son menton, sa poitrine, ses mains interdites qu'elle tordait, alors, non pas tant pour les sécher que pour les réveiller, les ranimer : dix ongles taillés court s'attaquaient aux avant-bras, dix ongles furieux qui griffaient, entaillaient, déchiraient la chair pâle et tendre. La crise tant redoutée, on savait qu'elle arrivait, imminente, dans son absolue et surnaturelle violence.

Mais cette violence qui nous sidérait tous, nous, ceux de sa famille première, qui nous laissait désespérés des heures après la crise, cette violence n'était pas le même spectacle pour eux, ceux de sa nouvelle famille, ceux des foyers pour idiots et des ateliers protégés, cette violence ils la partageaient, ils l'apprivoisaient et pour la plupart ils la mataient. Ils avaient ça en commun, ils avaient cette complicité totale hors le sang, dans l'au-delà d'un héritage génétique qui ne les avait pas gâtés, ils avaient entre eux *cet air de famille* et d'ailleurs c'était ça, tout bêtement : ils formaient une famille.

Depuis vingt-cinq ans qu'Éliane était morte et que Myriam vivait en foyer, ces zouaves-là, ces zigomars et ces zozos de tous horizons avaient été sa vraie famille quand, futile neveu, je me croyais héroïque si j'allais la chercher pour dîner dans un restaurant voisin de son foyer ou si je l'emmenais un week-end chez moi. C'est avec eux qu'elle s'était fabriqué de nouveaux souvenirs, avec eux qu'elle avait compté les heures et vu se succéder les saisons, puis les années. C'était à eux de parler d'elle, aussi j'ai passé mon tour. De toute façon, il valait mieux que je me taise : aurais-je ouvert la bouche, que je me serais effondré. Or, ce n'était pas un jour à fléchir ni capituler. Le prêtre est passé parmi nous en agitant son encensoir. Le parfum puissant d'herbe roussie et de bois pourri m'a tourné la tête. Après, je ne sais plus.